CW00386472

Die moderne Welt verlangt zu viel vom Menschen, zumindest nach Meinung dieses Großstadtbewohners, dem das Talent zur Bewältigung seines Alltags vollkommen fehlt: die tägliche Anwesenheit am Arbeitsplatz, Engagement und freundliches Gesicht inklusive, die routinierte Benutzung von Verkehrsmitteln und der regelmäßige Besuch von Supermärkten. Der Mann ist langjähriger freier Mitarbeiter eines Architekturbüros und langjähriger Freund von Maria. Doch plötzlich gerät das mühsam austarierte Gleichgewicht ins Wanken – und statt einer Frau sind es nun sogar drei. Ach, wenn wir Tiere wären! Eine Ente im Park, ein Hund auf dem Sofa! Ach, wenn man die Zumutungen des Alltags doch einfach übersehen könnte! Wilhelm Genazino erzählt von einer Gegenwart, die zur tagtäglichen Überforderung wird, und von einem Mann, der den Druck nur aushalten kann, indem er die Regeln bricht.

Wilhelm Genazino, 1943 in Mannheim geboren, arbeitete zunächst als Journalist, später als Redakteur und Hörspielautor. Mit seiner ›Abschaffel‹-Trilogie wurde er 1977 auch als Romanautor bekannt und gehört seither zu den wichtigsten deutschen Gegenwartsautoren. Für sein umfangreiches Werk wurde er mit zahlreichen Preisen geehrt, unter anderem erhielt er 1998 den Großen Literaturpreis der Bayerischen Akademie der Schönen Künste, 2004 den Georg-Büchner-Preis sowie 2007 den Kleist-Preis. 2011 wurde Wilhelm Genazino in die Akademie der Künste gewählt. Er lebt in Frankfurt am Main.

Wilhelm Genazino

Wenn wir Tiere wären

Roman

Deutscher Taschenbuch Verlag

Ausführliche Informationen über
unsere Autoren und Bücher
finden Sie auf unserer Website
www.dtv.de

2013 Deutscher Taschenbuch Verlag GmbH & Co. KG,
München
Lizenzausgabe mit Genehmigung des Carl Hanser Verlag
© Carl Hanser Verlag, München 2012
Umschlagkonzept: Balk & Brumshagen
Umschlaggestaltung: Wildes Blut, Atelier für Gestaltung,
Stephanie Weischer unter Verwendung
eines Fotos von Voller Ernst / Frantiszek Dostal
Druck und Bindung: Druckerei C. H. Beck, Nördlingen
Gedruckt auf säurefreiem, chlorfrei gebleichtem Papier
Printed in Germany · ISBN 978-3-423-14242-7

Wenn wir Tiere wären

I

ES WAR EIN ZU WARMER, fast schon heißer Nachmittag, ich war auf dem Weg nach Hause in meine stille Zweizimmerwohnung. Obwohl ich die Häuser ringsum schon tausendmal gesehen hatte, schaute ich sie, wenn auch nur flüchtig, immer wieder gern an. Die meisten von ihnen waren alt, nicht wenige verkommen. Bei vielen waren die Fensterrahmen morsch, an anderen fehlten sogar die Türen. Ein Teil der Häuser war bewohnt, andere nicht mehr, weil der Lärm und der Staub in den Straßen zu stark geworden waren. Die Häuser lösten nur noch bei wenigen Menschen einen Bleibewunsch aus. Hier wohnten nur noch Rentner und übriggebliebene und dabei arm gewordene Witwen. Irgendwo heulte eine defekte Alarmanlage, das passierte jeden Sommer mehrmals. Eine halbe Minute lang herrschte toter Alarm, der niemand beunruhigte. Ich hatte häufig die Idee, die Alarmanlage will nur auf den Niedergang der Gegend aufmerksam machen. Ich dachte an meinen Kollegen und (in den letzten Jahren) Freund Michael Autz, der völlig überraschend gestern abend gestorben war. Er war erst zweiundvierzig Jahre alt. Karin, seine Frau, rief mich noch am selben Abend an und erzählte mir weinend, was geschehen war.

Michael hatte sich, wie es seine Gewohnheit war, nach dem Abendessen in das Schlafzimmer begeben, um eine Weile auszuruhen. Nach spätestens einer Dreiviertelstunde

würde er erfrischt und ausgeruht in das Eheleben zurückkehren. Nach fast einer Stunde, berichtete Karin, wurde
sie unruhig und schaute nach ihm. Sie fand ihn, wie sie es
gewohnt war, auf der Couch liegend, in eine Wolldecke
halbwegs eingewickelt. Er regte sich nicht mehr. Karin rief,
sagte sie, den Hausarzt, der sofort kam und den Toten-
schein ausstellte. Vermutlich ein Herzinfarkt. In zwei Tagen würde auf dem Hauptfriedhof die Beerdigung stattfin-
den. Michael war, wie ich, Architekt. Er arbeitete in einem
kleineren, äußerst produktiven Architektenbüro und ver-
sorgte mich mit Aufträgen. Das war (in beruflicher Hinsicht) der einzige Unterschied zwischen uns: Er war angestellter Architekt, ich war freier Architekt. So hieß es auf
dem Schild am Eingang des Hauses, in dem ich wohnte
und arbeitete. Ehrlicher hätte es heißen müssen: Abhängi-
ger Architekt. Ich war fast ausschließlich von dem Büro
abhängig, in dem Autz gearbeitet hatte, und in diesem
Büro wiederum war er von sechs Architekten der einzige,
der Aufträge an mich vergab. Ich war über Michaels Tod
mehr beunruhigt als bestürzt. Für das laufende und das
kommende Jahr brauchte ich mir noch keine Sorgen machen, aber für die Zeit danach musste ich mir etwas einfal-
len lassen.

Ich hatte Michael bewundert. Er war ein lebendiger, ein-
fallsreicher, unterhaltsamer Mensch. Von uns beiden war
er der Dominante, ich hatte ihm diese Rolle nicht streitig
gemacht. Ich nahm an, dominante Menschen brauchen
stets eine weniger lebhafte Umgebung, damit sie als Im-
pulsgeber gut in Fahrt kommen konnten. Auch Karin, seine
Frau, war in jeder Hinsicht unauffällig. Sie bewunderte ihn
ebenfalls, und er bedankte sich bei ihr mit aufrichtiger Zu-
wendung, wenn man das so sagen kann. Während ich ruhig

lief, stieg mir eine merkwürdige, fast süßliche Feuchtigkeit in die Augen. Ich war überrascht und in gewisser Weise überfordert. Ich bog ab in eine leblose Seitenstraße, damit niemand meine angenässten Augen sehen musste. Erst vor ungefähr vier Wochen hatten Autz und ich während eines Spaziergangs einen fremden Personalausweis gefunden. Wir hatten ihn fast gleichzeitig entdeckt, wir hatten uns gleichzeitig nach ihm gebückt, aber Autz hatte ihn zuerst in der Hand. Damals hatte ich mich geärgert, heute war ich froh drum. Denn schon nach wenigen Tagen kam Autz auf die Idee, auf den Namen des Besitzers des Personalausweises bei Versandhäusern Waren zu bestellen und sie sich postlagernd liefern zu lassen. Der Postbeamte verglich nur den Namen des Empfängers auf dem Paket mit dem Namen im Ausweis – und schob das Paket über die Theke. Auf diese Weise hatte Autz schon einen Toaster, ein Bügeleisen und eine Kaffeemaschine bestellt und erhalten. Die Rolle von Autz' Ehefrau war undurchsichtig. Einerseits mahnte sie ihn, mit seinen Faxen aufzuhören, andererseits hatte sie Freude daran, was für ein Früchtchen ihr Ehemann doch war.

Autz hatte mich ermuntert, den Ausweis ebenfalls zu benutzen, ich hatte mich geweigert – ein wenig lauwarm, wie ich zugeben muss. In gewisser Weise war ich erleichtert, dass Autz gestorben war. Er hatte mich immer mal wieder zu quälen versucht, und es hatte mich Kraft gekostet, diesen Versuchungen zu widerstehen. Wenn ich nicht von ihm abhängig gewesen wäre, hätte ich ihn manchmal einfach stehenlassen können und sollen. Aber das traute ich mich nicht. Noch dazu litt ich unter mehreren heimlichen Grundgefühlen, von denen mich einige sogar versteckt leiteten. Eines davon war die Überzeugung, dass ich vom Leben ein wenig zu schlecht behandelt wurde. Eine Weile war ich der Versuchung nahe, aber dann siegte wieder meine Angst. Das heißt, ich fürchtete mich davor, dass der Trick über kurz oder lang auffliegen würde, und dann hätte ich ein Strafverfahren am Hals. Das wäre meiner Meinung nach auch Autz zugestoßen, wenn er nicht rechtzeitig gestorben wäre. Ich hatte ihn mehrfach gewarnt, aber er lachte nur über meine Bedenken. Bei ihren hunderttausend Bestellungen, hatte er ausgerufen, dauert es doch monatelang, bis sie solchen Irrläufern nachgehen können, wenn sie sie überhaupt bemerken! Sehr viele Delikte, hatte ich geantwortet, wären tatsächlich hundertprozentig sicher, wenn die Täter nicht glauben würden, sie könnten diese Delikte einfach wiederholen. Erst die Wiederholung macht ein Delikt zweitklassig und damit gefährlich, hatte ich hinzugefügt. Autz war beeindruckt von meinem Argument, aber gleichzeitig war er viel zu verliebt in den Erfolg seines Tricks.

Inzwischen waren meine Augen wieder trocken. Ich betrachtete alte knochige Männer, aus deren breiten Shorts lächerlich magere Beine herausragten. Eine junge Frau radelte vorüber und leckte während des Fahrens ein Eis, ich schaute ihr nach. Es gab in diesen Augenblicken nichts Schöneres als den Anblick einer Frau, die mit wehendem Blondhaar und aufgerecktem Körper auf dem Rad vorüberhuschte. Nein, es gab einen noch schöneren Anblick. Ich sah ihn auf dem Friedrich-Ebert-Platz. Dort stand eine große, schwere Ente auf *einem* Fuß, mit geschlossenen Augen, offenbar im Stehen schlafend. Ich war begeistert. Gab es das überhaupt? Eine mitten in der Stadt im Stehen schlafende Ente? Ich näherte mich dem Tier, und ich sah, dass alles mit rechten Dingen zuging. Das Tier hatte ein Bein an seinen Körper hochgezogen und hielt trotzdem sein Gleichgewicht. Mit mir staunte ein älterer Mann. Der Mann trug ein peinliches Freizeithemd über der Hose. Er hob seine linke Hand in die Höhe und betrachtete seine zerschundenen Fingernägel. Besonders seinen blauschwarz aufgewölbten Daumennagel sah er lange an. Es handelte sich um einen langsam zurückgehenden Bluterguss. Plötzlich sah ich eine alte Zahnbürste, die dicht neben der Ente auf dem Beton lag. Ich verlor die Aufmerksamkeit für die Ente, dabei hatte ich mich in dieses Bild schon fast verloren. Ja, ich wünschte mir, die Ente nachahmen zu können. Schlafend auf einem Bein in der Stadt herumstehen: dann fiele mir kein weiterer Wunsch mehr ein. Tatsächlich befand ich mich in einer Art Bedrängnis. Wenn ich Maria recht verstanden hatte, musste ich mir bis übermorgen einen neuen schwarzen Anzug kaufen. Maria hatte gesagt, dass ich in meinem alten schwarzen Sakko und der nicht ganz dazu passenden, weil nicht schwarzen, sondern nur dunkelblauen Hose zu keiner Beerdigung gehen könne. Ich bezweifelte Marias Rigorismus, aber ich fühlte mich auch hilflos. Ich hatte schon mehrere Beerdigungen mitgemacht, und jedesmal hatten mir dabei jene Menschen gefallen, die in nicht mehr ganz tadelloser Trauerbekleidung erschienen waren. Gerade das Unpassende der Trauerkleidung war das Zeichen für die Trauer. Ich erinnere mich bis heute an ein paar besonders eindrucksvolle Beerdigungen in meiner Kindheit. Meine Verwandtschaft war (ist) nicht besonders wohlhabend. Meine Tanten und Onkel, auch meine Eltern erschienen stets in mehr oder weniger notdürftig zusammengestellter Trauerkleidung. Die Kleidung drückte die Trauer über ihre *eigenen* Mängel aus, etwas Passenderes konnte es für eine Beerdigung gar nicht geben. Denn richtig ergreifend waren nicht die Toten, sondern die Lebenden. Aber Maria sah in Autz' Beerdigung vor allem eine Gelegenheit, mich ultimativ zu einigen Anschaffungen zu nötigen. Außer einem schwarzen Anzug brauchte ich besonders dringend etwa acht Paar neue Socken, ein neues Armband für meine Uhr, eine neue Batterie für meinen Wecker, zwei neue Hemden und einen neuen Wasserkessel. Den Satz: Wir brauchen einen neuen Wasserkessel sprach Maria mit besonderer, auch für mich hörbarer innerer Beteiligung aus, weil der Satz ein Problem anriss, das uns schon lange beschäftigte. Wir hatten keinen gemeinsamen Hausstand, wir lebten nach wie vor in zwei getrennten Wohnungen. Maria wollte, dass wir in einer gemeinsamen Wohnung lebten, am besten in meiner, weil ich – im Prinzip jedenfalls – nichts gegen ein Zusammenleben mit Maria hatte.

Tatsächlich hausten wir, besonders an Wochenenden, wie ein seit langer Zeit aufeinander eingespieltes Paar zusammen, in der Regel bei mir. Um den Konflikt wenigstens anzudeuten, verweise ich nur auf meine Erleichterung, wenn Maria nach einem gemeinsamen Wochenende am Montagmorgen meine Wohnung wieder verließ. Ich hielt den Konflikt geheim, weil ich nicht erklären konnte, worin meine Erleichterung denn bestand, wenn Maria am Montagmorgen wieder ging. Ich empfand nur ein vages Freiheitsgefühl, ein endlich wieder eingetretenes Unbelastetsein. Ich fand dieses Gefühl selbst ungerecht, weil Maria sich nichts zuschulden kommen ließ, wenn ich von ihrem gelegentlichen Alkoholismus einmal absehe. Ich hielt den Mund und litt in mich hinein. Das wiederum fand ich nicht ungewöhnlich, denn ich war voll von diesen kleinen Unaufrichtigkeiten, die das fortgeschrittene Leben mit sich bringt wie Hornhaut an den Fersen oder ein überzogenes Konto.

Am Rand des Friedrich-Ebert-Platzes stand das Kaufhaus ELITE. Es war ein kleines, einstöckiges Kaufhaus, in dem es Haushaltswaren, Kinderkleidung, Schuhe, Kittelschürzen und eine Cafeteria gab, außerdem einen Schlüsseldienst und eine Ein-Mann-Schuhmacherei. Mir fiel ein, dass ich hier einen neuen Wasserkessel kaufen könnte, dann hätte ich wenigstens eine der Anschaffungen hinter mir. Maria sagte, in unserem Wasserkessel (sie meint: meinen Wasserkessel) befinde sich so viel Kalkstein, ich solle ihn wegwerfen. In früheren Jahren hatte ich über die Kühnheit des Kaufhauses, sich ELITE zu nennen, lachen können, heute nicht mehr. Ich hatte lange nichts mehr im ELITE gekauft, aber jetzt, als ich durch das Erdgeschoss schlenderte, war ich doch erschüttert. Es war fast leer. Die Verkäuferinnen standen unbeschäftigt hinter ihren Verkaufstischen und warteten, dass jemand etwas kaufte. Insofern war ich für sie vielleicht ein Hoffnungsschimmer. Ich steuerte die Haushaltsabteilung am anderen Ende des Erdgeschosses an. Ich hatte schon viel über die Krise der Kaufhäuser gelesen, aber dass es so schlimm aussah, hätte ich nicht für möglich gehalten. Ich fragte mich (weil ich ebenfalls nur noch selten Kaufhäuser aufsuchte), ob mich eine Mitschuld am Niedergang der Kaufhäuser trifft. In meiner Jugend herrschte in den Kaufhäusern jeden Tag ein Riesengetümmel. Die Leute strahlten, wenn sie etwas zum Kaufen gefunden hatten oder auf einer der neuen Rolltreppen in ein höher liegendes Geschoss fahren durften. Es muss damals ein Glück gewesen sein, in einem Kaufhaus umherzugehen. Alles weg! Ich blieb sogar stehen und staunte über die Leere ringsum. Der Wasserkessel, den ich erstand, kostete nur 3,50 Euro, worüber ich erneut ein flüchtiges Schuldgefühl hatte. Ich überlegte, ob ich hier nicht gleich ein neues Bett kaufen sollte, aber Betten gab es hier nicht, nur Bettwäsche. Sollte ich noch schnell ein größeres Kaufhaus aufsuchen und *heute* noch ein neues Bett kaufen, damit mein guter Wille deutlich wurde?

Aber es war mir nicht möglich, mehr als ein Kaufhaus pro Tag zu betreten, und auch dies nur höchstens einmal in der Woche. Maria fand mich in dieser Hinsicht zu zaghaft. Sie hatte mir schon öfter angeboten, gemeinsam mit ihr ein neues Bett zu kaufen. Sie versprach sich davon eine größere Effizienz. Sie sagte tatsächlich: Effizienz. Das war eines der Worte, die in ihrer Werbeagentur häufig verwendet wurden. Ich gebe zu, meine mangelhafte Kauffreude hatte, was das Bett betraf, einen delikaten Hintergrund, über den ich mit Maria nicht sprach. Tatsächlich hatte ich in meinem Bett schon mit Thea über viele Jahre hin geschlafen. Ich hatte daran viele außerordentliche Erinnerungen. Wenn Maria von diesem Zusammenhang gewusst hätte, wäre sie empört gewesen und hätte vielleicht über Konsequenzen nachdenken müssen. Auch das Wort Konsequenzen stammte aus der Werbeagentur. Es war schön, eine mit vielen Körperdetails angefüllte Zeit über die Jahre hin durch das Leben zu schleppen. Wenn ich kühn gewesen wäre, hätte ich mir jetzt einen neuen Anzug gekauft. Aber ich war nicht kühn, ich fühlte mich schwächlich durch zu viele Erinnerungen. Die Beerdigung von Autz war für übermorgen angesetzt, und es wurde immer wahrscheinlicher, dass ich in meinen ältlichen Kleidern daran teilnehmen würde. Ich gefiel mir in meinen nicht mehr ganz frischen Kleidungsstücken. Ich sah aus wie ein aus früherer Zeit übriggebliebener Herr. Maria würde nicht mitkommen zur Beerdigung, ich hatte sie gefragt. Es sei denn, ich kaufte mir einen neuen, wirklich schwarzen Anzug. Am Himmel zogen dunkle Regenwolken auf, ein heftiger Wind stieß über den Platz und beugte die Sträucher in den Gärten. In dem Kino Excelsior lief ein Film mit dem Titel »Flucht ohne Ende«. Wenn ich jetzt ins Kino gegangen wäre, hätte ich den neuen Wasserkessel eineinhalb Stunden lang in den Händen halten müssen. Dennoch betrat ich den leeren Vorraum des Kinos. Durch eine offene Doppeltür sah ich in den Vorführraum und erblickte sechs oder sieben vereinzelte Zuschauer. Warum gehen so viele einsame Männer ins Kino? Ich sah kein einziges Pärchen oder zwei alternde Frauen nebeneinander. Durch den Anblick der reglosen Männer verwandelte sich der Vorführraum in einen Wartesaal für Hilfsbedürftige. Als hilfsbedürftig wollte ich auf keinen Fall gelten, nicht einmal in einem halbdunklen Kinosaal. Die alleinsitzenden Männer sahen zu krankenhausmäßig aus. Wahrscheinlich wartete der Kinobesitzer, bis die Vorstellung angefangen hatte, dann würde er die evangelische Seelsorge anrufen und sagen: Hier sitzen sieben Gefährdete, wollen Sie nicht mal vorbeischauen? So dachte ich vor mich hin und verließ den Vorraum. Draußen sah es inzwischen nach einem Gewitter aus. Der Himmel war dunkler geworden und der Wind biestiger. Ein weinendes Kind wurde im Kinderwagen schnell vorübergefahren. Vögel flogen nervös auf und ließen sich drei Meter weiter erneut nieder. Die schweren Tauben sahen meinen schon lange toten Tanten ähnlich. Kein Tier kann ratloser schauen als eine Taube. Ein Mann öffnete eine Mülltonne nach der anderen, fand aber nichts. Es war Hochsommer geworden. Als ich noch mit Thea zusammen war, fuhren wir jedes Jahr weg. Seit Thea aus meinem Leben verschwunden war, hatte ich mir den Urlaub abgewöhnt. Beziehungsweise, es war niemand mehr aufgetaucht, der mich

Jahr für Jahr in den Urlaub zwang. Maria drängte zwar auch in den Urlaub, aber gegen sie konnte ich mich seltsamerweise durchsetzen.

Soeben fielen die ersten Regentropfen. Es waren große, schwere Tropfen, die auf einen Platschregen schließen ließen. An einigen Fenstern erschienen Hausfrauen und ließen die Rolläden halb herunter. Ein Blitz zuckte über den Platz, der Regen wurde stärker. Ich drückte mich gegen eine Hauswand, die mich nicht wirklich schützte. In meiner Einfallslosigkeit lief ich zurück zum Kino. Im Vorraum saß jetzt eine stillende Mutter, die sich an mir nicht störte. Sie sah nicht einmal auf, sondern blickte ohne Unterbrechung auf den Säugling hinunter. Es ist eine erfreuliche Entwicklung, dachte ich, dass Babys in aller Öffentlichkeit gestillt werden. Der Anblick hatte auf Männer vermutlich eine erzieherische Wirkung. Sie begreifen dann besser, dass Frauenbrüste über das männliche Begehren hinaus einen ethischen Sinn haben. Diese Belehrung war (ist) gerade für mich dringend notwendig. Außer mir und der Mutter mit Kind war niemand im Vorraum. Ich schaute Filmbilder in den Schaukästen an und tat so, als würde ich mir gleich eine Eintrittskarte kaufen. Tatsächlich linste ich, so versteckt ich konnte, auf die Brust der stillenden Frau. Wenn ich Brüste (oder Teile davon) im Ausschnitt einer Frau sehe, kämpfe ich sofort gegen eine übermäßige Anziehung, auch bei schwangeren Frauen. Unter dem Eindruck des vorrückenden Bauchs treten bei schwangeren Frauen die Brüste in den Hintergrund, beziehungsweise sie werden unscheinbar, dafür aber (sozusagen) häuslicher und kameradschaftlicher. Die Brust der stillenden Frau war groß, weiß und jetzt fast ganz freiliegend. Mein Vergnügen (meine Lust) floss frei zwischen der Frau und mir hin und her, weil die Frau noch immer keine Anstalten machte, das Stillen zu verbergen. Obgleich mir der Anblick über die Maßen gefiel, spürte ich einen Schmerz im Oberkörper. Denn merkwürdig an der Schönheit ist, dass man sie immer nur anschauen kann. Man kann nichts davon mit nach Hause nehmen oder ein kleines Teil von ihr an einer besonderen Stelle aufbewahren. Man kann Schönheit immer nur anstarren, mehr ist nicht zu holen. Wenn man sie lange angeschaut hat, muss man wieder gehen. Wenn man sehr viel Schönheit auf einmal gesehen hat (zum Beispiel Venedig oder den lieblichen Vordertaunus) und dann mit leeren Händen verschwinden muss, wird der Mensch ein wenig schwermütig. Deshalb war es sinnvoll, sich mit kleineren Mengen Schönheit zu begnügen. Das Problem im Augenblick war, dass ich mit mir nicht einig wurde, ob eine weitgehend freiliegende Frauenbrust eine kleine oder schon eine größere Schönheit war. Während meiner Gedanken zum Thema Schönheit hatte der Regen draußen stark nachgelassen. Außerdem war ein Mann im Vorraum erschienen und hatte die Doppeltür zum Kinosaal geschlossen. Ich stellte mich hinter die Schwingtüren des Ausgangs und sah hinaus auf die Straße. Der Säugling hatte offenbar genug getrunken und wurde von seiner Mutter in den Kinderwagen zurückgelegt. Auch in mir rührte sich die Idee, dass ich vielleicht Hunger haben könnte. Es war Frühabend geworden, die Stadt leerte sich. Ich überlegte, ob ich an der Imbiss-Theke eines Kaufhauses eine Suppe zu mir nehmen oder ob ich mir in einer Metzgerei einen Fertigsalat für zu Hause mitnehmen sollte.

Kaum hatte der Regen aufgehört, ließen sich große Krähen auf dem Gehweg nieder und suchten nach Nahrung. Einige der Vögel spazierten in der Mitte der Straße, was mir gefiel. Die Frau verließ mit Kind und Kinderwagen den Vorraum, ich schaute beiden nach und hatte dabei wieder diesen Schmerz im Oberkörper. Die Nähe des Kinos führte jetzt dazu, dass ich an meine tote Mutter dachte. Sie hatte von Zeit zu Zeit verkündet, dass sie demnächst zum Film gehen werde. Zum Film gehen war in meiner Kindheit eine Redensart vieler Hausfrauen. Meine Mutter war schön und eine regelmäßige Leserin der Zeitschrift »Film und Frau«, eine merkwürdige Zeitschrift, die von Monat zu Monat aus dem Leben von Filmschauspielerinnen berichtete und fast ausschließlich von Frauen gelesen wurde, die noch nicht beim Film waren. Ein Hund mit einem verbundenen Bein lief vorüber. Das verbundene vierte Bein hielt er nach vorne von sich weg. Er konnte tatsächlich auch auf drei Beinen gut laufen. Ich kannte in der Nähe eine überteuerte Boutiquen-Metzgerei, wo ich einen Fertigsalat (mit Käse und Ei) verlangte. Kaum hatte ich ihn erhalten, schämte ich mich seiner. Ausgerechnet ich, der sich auf seine Individualität so viel zugute hielt, ging wie ein x-beliebiger Massenmensch mit einem Fertigsalat nach Hause. Eigentlich hatte ich mir einen neuen Anzug und vielleicht sogar ein neues Bett kaufen wollen, aber es hatte nur zu einem Fertigsalat in einem scheußlichen Plastikbehälter gereicht. Jetzt trug ich mein Fertigschicksal in meine Fertigwohnung, wo ich einen Fertigabend vor dem Fernsehapparat verbringen würde. Es sei denn, Maria würde mich anrufen, womit leicht zu rechnen war. Mit Maria verband mich eine unangenehm vielschichtige Empfindung. Eigentlich wünschte ich mir seit längerer Zeit eine andere Frau, eine solche war jedoch nicht in Sicht. Eigentlicher noch war ich mit Maria zufrieden, ja, vermutlich liebte ich sie inzwischen. Ich suchte eine Frau, deren Anwesenheit ich ohne Fluchtgedanken ruhig ertrug. Diese Frau war Maria nicht. Sie hatte ein Problem, das allmählich auch meines wurde: Sie trank zuviel. Seit Jahren brachte sie, wenn sie mich abends besuchte, ein oder zwei Flaschen Wein mit. Ich nahm an, Maria wollte, dass ich irgendwann genauso leben würde wie sie. Ich sollte den Abend mehr oder weniger alkoholisiert zubringen und dann ein wenig benommen neben ihr einschlafen. Aber Maria schaffte es nicht, ich war kein Trinker. Ich durfte ihr nicht sagen, dass es mir ein gewisses Vergnügen machte, die nicht mehr ganz ihrer Sinne mächtige Maria neben mir liegend zu betrachten. Ich schätzte es auch, dass unsere Liebesabende durch Alkohol nicht allzu lange dauerten. Es war mir recht, wenn ich nicht gar zuviel reden musste. Die meisten Menschen hatten in alkoholisiertem Zustand ein starkes Redebedürfnis, aber nicht viel Ausdauer. Rasch wurde Maria müde und schlief häufig während ihres heftigen Redens ein.

Und wenn sie fest eingeschlafen war, zog ich mich manchmal wieder an, verließ die Wohnung und traf mich mit ein oder zwei Kollegen in einer Kneipe. Dieses Verhalten war Maria besonders verhasst. Sie hatte die Vorstellung, dass zwei Menschen nach einem Beischlaf gemeinsam gestimmt waren, und sei es im Schlaf. Meine postkoitalen Ausflüge machten mir bewusst, dass ich Maria nicht leicht ertrug. Obwohl ich inzwischen mit ihr fest liiert war, hatte ich immer öfter das Gefühl, dass ich neben ihr immer einsamer wurde. Das war natürlich meine Schuld. Ich hätte vor mir selbst anerkennen müssen, dass Maria nicht zu mir passte. Aber ich kam mit meiner Loslösung nicht voran. Marias Art, sich an mich zu klammern, rührte mich nicht nur sehr, sondern flößte mir außerdem die Idee ein, dass ich Maria gegenüber eine Aufgabe zu erfüllen hätte. Nur glaubte ich selbst nicht an diese Aufgabe. Diese Gewissheit berührte die tiefste Schicht unseres Problems: Ich hatte selbst nur mangelndes Talent zu einem sogenannten normalen Leben. Nehmen wir als Beispiel das ruhige Nebeneinandersitzen von Mann und Frau in einem Zimmer. Die Frau betrachtet die Knöpfe an ihrer Wollweste, der Mann liest die Zeitung oder sitzt vor dem Fernsehapparat. Wenn eine solche Situation zwischen uns andauerte, fühlte ich bald den Zwang, dass ich etwas sagen müsste. Und fing tatsächlich an zu reden: Gegen meinen Willen und oft auch gegen mein Vermögen. Wenn ich nicht reden wollte oder konnte, verließ ich mit einem Schuldgefühl den Raum. Zum Beispiel ging ich ins Bad und duschte oder ich putzte Schuhe auf dem Balkon. Wenn ich danach wieder im Zimmer erschien, fragte Maria: Warst du duschen? Dann musste ich mich beherrschen, um nicht aus der Haut zu fahren. Maria fühlte unsere inneren Unstimmigkeiten und schwieg oft, was ich ihr hoch anrechnete. Allerdings fühlte sie sich dann auch schuldig und trank noch mehr.

Schon im Treppenhaus hörte ich mein Telefon klingeln. Das konnte nur heißen, Maria befand sich inmitten einer krisenhaften Phase und war überzeugt, dass ich ihr helfen könne.

Ich ruf schon zum dritten Mal an! rief sie in den Hörer.

Ich war einkaufen, sagte ich.

Du? Einkaufen?

Stell dir vor, ich habe einen neuen Wasserkessel gefunden!

(Den Fertigsalat erwähnte ich nicht.)

Hast du heute abend schon was vor?

Nein, sagte ich, ich bin erschöpft.

Schon wieder?

Das wird in Zukunft öfter passieren; ich musste die Pläne für einen Erweiterungsbau eines Supermarktes fertigstellen, damit hatte ich nicht gerechnet.

Und was bedeutet das?

Ich werde heute frühzeitig ins Bett gehen und, wenn möglich, lange und viel schlafen.

Das klingt, als würdest du mich nie wieder sehen wollen.

Maria! Was redest du! Ich wette, dass wir uns schon morgen treffen. Oder übermorgen.

Wann und wo?

Zum Beispiel nach der Beerdigung.

Bist du dann nicht wieder erschöpft?

Doch, antwortete ich, aber weil ich dann ja ausreichend geschlafen haben werde, werde ich auch die kommende Erschöpfung aushalten.

Wie kompliziert und umständlich du wieder bist!

Maria lachte.

Weißt du, dass du mich hiermit in einen Rotwein-Abend stürzt?

Maria! rief ich; so erpresserisch kannst du mit mir nicht reden.

Ja, Entschuldigung, ich nehme alles zurück.

Hast du eine Idee, wo wir am Wochenende hingehen könnten?

Zum Beispiel zu einer Ausstellungseröffnung, ich habe eine Einladung, sagte sie.

Ist das nicht ziemlich öde?

Ich muss hin, sagte sie, es ist ein Kollege, der zeigt seine eigenen Bilder.

Ach so. Muss ich da mit?

Es wäre schön, aber du musst nicht.

Ich bin dabei, sagte ich.

Das ist lieb von dir. Dann werde ich mich mal an den Fernseher klammern.

Es tut mir leid.

Ist schon gut, seufzte sie und legte auf. Durch das Telefonieren war ich ins Schwitzen geraten. Ich legte mein Hemd ab und wusch mir den Oberkörper. Dann öffnete ich das Fenster, schaltete das Radio an und nahm mir den Fertigsalat vor. Ich war in leicht bedrückter Stimmung. Ich erinnerte mich, dass ich schon als Kind oft das Gefühl hatte, dass das Leben der Menschen hoffnungslos veraltet war. Ich schüttete den Salat in eine Schüssel und gab etwas Salz, Öl und Essig dazu. Allmählich rutschte ich in eine angenehmere Stimmung. Aus dem Radio kam Klaviermusik von Chopin. Ich überlegte, warum es mir nicht möglich war, Maria gegenüber den Fertigsalat zu erwähnen. Ich wollte nicht der Mensch sein, der ich war. Am Abend allein einen Fertigsalat essen, das war unmöglich. Unter dem Einfluss des Regengeräuschs war mein Radio leiser und leiser geworden. Ich schaltete das Radio ab und den Fernsehapparat ein. Es lief gerade eine Dokumentation über die Armut der Landbevölkerung in Kolumbien. Wenig später sah ich, wie eine Zwölfjährige ein Kind auf die Welt presste. Als sie entbunden hatte, hielt man ihr den Säugling an die Brust. Ein Sprecher sagte, die junge Mutter kann nicht stillen, weil sie keine Milch hat. Eine Schwester nahm ihr den Säugling wieder weg, die Zwölfjährige begann zu weinen. Jetzt schaltete ich auch den Fernseher ab, ging zum Fenster, sah auf die nasse Straße hinunter und aß dabei den Fertigsalat.

2

AM TAG DER BEERDIGUNG von Michael Autz kam es zu einer kurzen, bösartigen Auseinandersetzung mit Maria. Sie sagte, ich solle meine Schuhe putzen, ehe ich losgehe. Ich antwortete, eine Beerdigung ist eine Beerdigung und keine Konfirmation und auch keine Verlobung. Maria verstand die Bemerkung nicht, was sie auch zugab. Es ist ein Gebot der Höflichkeit, sagte Maria, bei der Beerdigung eines Freundes mit geputzten Schuhen zu erscheinen. Autz war nicht mein Freund, antwortete ich. Trotzdem, sagte Maria. Ich wollte ihr nicht erklären, dass es ein angenehmer metaphysischer Zustand ist, Schuhe bei ihrer fortlaufenden Selbsteinschmutzung zu beobachten. In Wahrheit waren meine Schuhe nicht einmal schmutzig, sondern nur staubig. Maria unterschied zwischen diesen beiden Möglichkeiten nicht. Ich versuchte, ihr die Differenz zu erklären. Staubig wird etwas von selbst, sagte ich, durch Teilhabe an dem großen Staub, in dem wir alle leben müssen. Schmutz hingegen ist ein selbständiges Eintauchen in ein Konzentrat von Ausscheidungen, das durch die ständige Umwandlung der Natur entsteht. Schmutzig werde ich, wenn ich eine Baustelle durchquere oder einen Kohlenkeller aufräume. Die letzten Sätze sprach ich schon zu mir selber hin. Es war aussichtslos, Maria mit diesen Inhalten zu konfrontieren. Ärgerlich wurde ich kurz vor Verlassen der Wohnung. Maria nahm ein Papiertaschentuch, ging vor mir in die Knie und wischte mit dem Taschentuch über meine beiden staubigen Schuhe. Ich schaute gegen die Wand und schwieg. Wenn du schon in deinem alten Anzug erscheinst, müssen wenigstens die Schuhe glänzen, sagte Maria. Auch darauf sagte ich nichts.

Der Tag war hell und warm. Feldlerchen ließen sich auf den Wegen des Friedhofs nieder, wippten kurz mit dem Schwanz und flogen über die Gräber davon. Ich sah einzelne Trauergäste, die ich nicht kannte. Der erste, den ich wiedererkannte, war Erlenbach, einer der beiden Eigentümer des Architektenbüros, für das ich in den letzten Jahren hauptsächlich gearbeitet hatte und vielleicht weiterarbeiten würde. Ich schwankte, ob ich Erlenbach über die Grabsteine hinweg grüßen sollte oder nicht. Dann merkte ich, dass er mich nicht erkannte, obwohl ich ihm in seinem Büro hin und wieder begegnet war; aber was heißt das schon, Erlenbach hatte viele freie Mitarbeiter. Der Hauptweg des Friedhofs führte zu einer kleinen Kapelle, auf deren Dach jetzt ein helles Glöcklein ertönte. Ein richtiges Sterbeglöckchen! Ich war nicht sicher, ob ich wirklich um Autz trauerte, vermutlich nicht. Ich hatte nur eine gewisse traurige Stimmung, aber die ging eher auf die Umgebung zurück. In der Kapelle traf ich Angestellte des Architektenbüros, ich gab ihnen die Hand, wobei mich ein seltsam unangemessenes ritterliches Gefühl beschlich. Die große Mehrheit der Trauergäste gehörte der Familie an, der ich nie zuvor begegnet war. Karin hatte ich noch immer nicht gesehen. Vermutlich saß sie ganz vorne, und ich würde erst später, am Grab, auf sie treffen. Erlenbach gab sich Mühe, so wenig Leute wie möglich anzuschauen. Vorne, am Altar, war der Sarg aufgebahrt. Ein Pfarrer erschien und hielt eine kurze, konventionelle Beerdigungsrede, ich hörte nicht zu.

Ich betrachtete die schwarzgekleideten Frauen ringsum und dachte an Thea. Eine Frau wie sie würde ich nicht mehr finden, schlimmer noch, ich würde sie auch nicht mehr suchen wollen. Im Gegenteil, momentweise beherrschte mich das Lebensgefühl, dass ich mich auf eine ernsthafte neue Liebesgeschichte nicht noch einmal einlassen wollte. Ich würde mich mit Maria abfinden, obwohl ich auch das nicht wollte. Meine seltsame Liebesgenügsamkeit passte sehr gut zum Friedhof. Ich hatte mir schon oft vorgenommen, mich nicht mehr verausgaben zu wollen, und dann war doch alles anders gekommen. Ich wollte über die Zukunft der Liebe keine Pläne mehr entwerfen, in einer Friedhofskapelle schon gar nicht. Der Pfarrer beendete seine Ansprache, vier Friedhofsarbeiter erschienen und zogen den auf einem Wagen mit Gummireifen aufgebahrten Sarg durch den Mittelgang der Kapelle hinaus ins Freie. Unmittelbar hinter dem Sarg sah ich Karin. Sie wirkte ein wenig kleiner als sonst, fast ein bisschen eingeschrumpft. Der Tod machte auch die Zurückbleibenden ein wenig todähnlicher. Karin hatte einen kleinen Buckel und einen vornübergebeugten Körper. Durch die Krümmung des Rumpfs wirkten ihre Brüste immer ein wenig wie eingesunken, wie auf der Flucht. Ich hatte mir an manchen Abenden schon vorgestellt, dass ich die Brüste von Karin gerne aus ihrer Eingesunkenheit herausholen möchte (könnte), was Karin in meiner Vorstellung gefallen würde. Überhaupt kam mir Karins kleiner Körperdefekt entgegen, weil mein eigenes inneres Gefühl, das ebenfalls von einem Handicap bestimmt wurde, mit Karins Defekt schon zu kalkulieren begann: Eine Frau mit kleinem Körpernachteil wird mit deinem Handicap gewiss freundlich umgehen. Ich hatte natürlich keine Defekte beziehungsweise nur eingebildete, die allerdings heftiger waren als wirkliche. Ich war zum Beispiel überzeugt, dass ich langweilig war und auch nicht sprechen konnte, ohne Langeweile bei anderen Menschen hervorzurufen. Deswegen redete ich, soweit möglich, nur wenig und galt als schüchtern. Als Schüchterner war ich allerdings beliebt bei vielen anderen, die wirklich schüchtern waren und in mir einen verständigen Menschen vermuteten.

Karin sah mich nicht, sie blickte auf den Boden. Die Kapelle leerte sich von den vorderen Reihen her, so dass ich zu den letzten gehörte, die die Kirche verließen. Der Tag blieb freundlich und angenehm. Der Pfarrer schritt vorneweg und leitete die Trauerprozession zum Grab. Von den vielen Gräbern ringsum ging die übliche Heuchelei der Toten aus. Jeder sollte glauben, dass es um alle Gestorbenen schade sei. Neben mir trottete ein mir unbekannter Mann mit starkem Mundgeruch. Hinter mir gingen zwei ältere gepuderte Frauen. Ich mochte ihren Geruch, weil er mich an meine tote Mutter erinnerte. Weil mich der Mann mit dem Mundgeruch immer wieder ansprach, verdrückte ich mich in eine Reihe weiter hinten. Wenn ich mich als Kind nicht regelmäßig wusch, sagte meine Mutter zu mir: Du riechst wie ein alter Schwamm. Ich hielt diesen Satz lange für eine Zärtlichkeit. Denn *ich* liebte meinen kleinen Schulschwamm und seine merkwürdigen Gerüche. Erlenbach gab sich Mühe, niemanden anzuschauen. Ich wusste jetzt schon, dass ich bei der Zusammenkunft, die hinterher in einem Café geplant war, nicht dabeisein würde. Ich hatte nicht die geringste Lust, Erlenbachs Angestellten so lange nahe zu sein. Die Prozession wandelte jetzt unter schattigen Kastanienbäumen. Die Spitze des Zuges war am offenen Grab angekommen. Ich wusste nicht, ob ich mich nach vorne drängeln oder lieber im Hintergrund bleiben sollte. Es war mir unangenehm, dass ich fast ununterbrochen an Thea dachte. Ich wusste, dass sie mit einem anderen Mann zusammenlebte, den ich nicht kannte. Für mich war sie seit der Trennung so gut wie gestorben. Es gab Momente, in denen ich glaubte, es sei Thea, die hier zu Grabe getragen wurde. Plötzlich stiegen mir Tränen in die Augen, sogar ein kleiner Seufzer ließ sich nicht unterdrücken. Es war mir klar, dass ich nicht um Michael Autz trauerte, sondern tatsächlich um Thea. Ich benutzte eine fremde Beerdigung, um eine abgelebte Liebesschmach zu betrauern. Karin war bewegt und fassungslos, als sie meine nassen Augen sah. Sie hatte nicht für möglich gehalten, dass ich ihrem toten Mann so sehr verbunden war. Karin hörte mit Weinen auf und stellte sich tröstend neben mich. Als mein Schluchzen ein wenig heftiger wurde, fasste mich Karin am Arm und führte mich ein paar Schritte abseits. Natürlich sagte ich nicht, dass meine Tränen in Wahrheit Thea galten. Ich konnte in diesen Minuten nicht sprechen, aber Sprechen war auch nicht nötig. Während unseres Herumstehens wurde der Sarg in das Grab hinabgeseilt. Ich war dankbar, dass ich die Versenkung nicht aus der Nähe sehen musste. Karin löste sich von mir und stellte sich an den Rand des Grabs.

Es war typisch für mich, dass ich, um Trauer um das eigene Leben zu empfinden, eine fremde Beerdigung benutzte. Die Verschiebung des Authentischen zog sich als deutliche Spur durch mein Leben. Nie kannst du ausdrücken, was gerade mit dir los ist, immerzu brauchst du die Hilfe von Zufällen. Der Pfarrer sprach ein Gebet, die Beerdigung ging zu Ende. Karin henkelte sich bei mir ein, worin ich eine deutliche Annäherung erkennen wollte. Wir hatten uns schon einmal heftig geküsst, auf einem Faschingsfest vor vielen Jahren, ich glaubte nicht, dass wir das vergessen hatten. Ich wollte jetzt eigentlich nach Hause, aber das wäre unhöflich gewesen. In einem Café unweit des Friedhofs musste ich Karins Bruder kennenlernen, außerdem ihre Mutter (der Vater war schon tot) und einen früheren Freund. Das Café war überfüllt. Man kann hingehen, wo man will, es sind immer schon zwei Dutzend andere da, sagte ich.

Karin lachte und sagte: Was soll man denn machen?

Ich gehe einfach nirgendwo mehr hin, antwortete ich.

Dann wirst du vereinsamen, sagte Karin.

Ich würde mir einzelne Individuen suchen, mit denen ich mich an versteckten Orten verabreden würde, sagte ich.

Kennst du solche Individuen? fragte Karin.

Dich zum Beispiel, sagte ich.

Karin schaute mich an und war, wenn ich mich nicht täuschte, verblüfft über meine Forschheit. Unser Flirt wurde unterbrochen, weil Erlenbach sich neben mich setzte, mit Grund, wie sich herausstellte. Ich fand seine Aufdringlichkeit peinlich, andererseits kam sie meinen Interessen entgegen. Mit dem Tod von Michael Autz war mein Kontaktmann zum Architektenbüro Erlenbach & Wächter verschwunden. Es konnte mir nützen, wenn ich bei Erlenbach ein wenig antichambrieren würde. Rasch zeigte sich, dass meine Bemühungen überflüssig waren. Erlenbach sagte, er wolle mich in die Planung einer Tiefgarage mit einbinden, die ich zusammen mit zwei Kollegen entwickeln sollte. Ich war erfreut und dankbar und hörte Erlenbach zu. Karin ödete sich ein wenig und zeigte es. Erlenbach schreckte nicht davor zurück, am Tag der Beerdigung ihres Mannes an ihrem Tisch geschäftliche Dinge zu besprechen. Ich war nicht jemand, der Erlenbach auf seine mangelnde Pietät hinwies. Eigentlich hatte Karin seit dem Tod ihres Mannes keinen Grund mehr, auf Erlenbach Rücksicht zu nehmen. Ich schloss nicht aus, dass sie ihre eigene Trauerversammlung bald verlassen würde. Aber sie schluckte die Kränkung und blieb, jedenfalls vorerst. Auch mich verlangte es nicht, allzu lange hier zu bleiben. Allerdings wusste ich nicht, wie ich den Restnachmittag verbringen sollte.

Erst am Frühabend war ich mit Maria verabredet. Sie hatte herausgefunden, dass man neuerdings im Tiefgeschoss bei Hertie Austern essen konnte. Ich war an Austern nicht interessiert, aber ich wollte Maria den Spaß nicht verderben. Zwischendurch erkundigte sich Karin, ob ich mir Michaels Taschenbücher nicht einmal anschauen wollte. Ich war überrascht. Es stimmte, ich hatte bei Besuchen bewundernde Blicke auf Michaels Taschenbücher geworfen. Ja, gerne, sagte ich, gelegentlich. Die Trauergesellschaft löste sich langsam auf. Ich fand nicht den Mut, aufzustehen und mich zu verabschieden. Nach Hause gehen und mich an das Zeichenbrett setzen war auch kein toller Einfall, obwohl ich dringend arbeiten musste. Ich hätte mir auch endlich Zeichnungen von Munch ansehen können, die es im Kunsthaus zu sehen gab. Statt dessen blieb ich sitzen, trank noch ein Glas Wein und plauderte mehr mit Erlenbach als mit Karin. Je mehr ich trank, desto mehr hatte ich mit der Idee zu kämpfen, ich sei mitschuldig an Michaels Tod. Das war eine abstruse Idee, die sich in meinem Inneren plausibel anfühlte. Ich überlegte schon, ob ich Karin diese Eingebung mitteilen sollte. Aber dann erhob ich mich doch und reichte Karin die Hand. Sie lud mich zu ihrem Geburtstagsfest ein, das in etwa einem Monat stattfand. Ich beugte mich über sie und küsste ihr die linke Wange. Von den anderen Trauergästen verabschiedete ich mich nicht persönlich. Ich hob die Hand und winkte ein paarmal in den Raum.

Dann war ich draußen. Es setzte sich, wie oft in solchen Fällen, der Dreizehnjährige in mir durch und stiefelte in die Innenstadt. Die frische schlechte Luft des Autoverkehrs war genau das richtige für mich. An einem Kiosk kaufte ich mir eine kleine Flasche Mineralwasser, die ich rasch leertrank. Die Überzeugtheit, das Umhergehen sei eine richtige Entscheidung gewesen, ließ bald nach. Jetzt kam der wirkliche Dreizehnjährige zum Vorschein: Ich fühlte mich verlassen und ödete mich. Ein Zoo-Besuch schied aus, ebenso das Kino; an beiden Orten häufte sich lediglich das Elend nicht vertriebener Zeit. Ich ging weiter zum Flussufer. Dort setzte ich mich auf den Rasen, schaute auf das Wasser und merkte, wie müde ich war. Mir gefielen ein paar weiß und dreieckig aufgerichtete Segel, die weich und nur leicht aufgebläht umherschwebten. Das sanfte Bild der Segel schläferte mich ein. Ich lehnte mich mit dem Rücken gegen einen Baumstamm und fühlte kaum, wie mich der Schlaf überwältigte. In meinem schlafgetrübten Bewusstsein meinte ich einmal zu spüren, wie ein Hund an mir schnupperte, was mir gefiel. Fast eine Dreiviertelstunde lang hielt mich der Schlaf gefangen. Ich muss fest geschlafen haben, denn ich merkte nicht, wie ich von dem Baumstamm nach links wegkippte und dann auf der Seite liegend und gekrümmt weiterschlief. Als ich aufwachte, fühlte ich mich erleichtert und frei, obgleich mein Körper ungelenk geworden war. In der Art, wie ich langsam zu mir kam, war mir eine halbe Minute lang nicht klar, ob ich mit Thea oder Maria verabredet war. Bis zu unserem Treffen hatte ich noch fast eine Stunde lang Zeit. Seit ich von Thea getrennt war, sah sich Maria als Siegerin eines Zweikampfs. Vor der Trennung von Thea hatte ich etliche Jahre lang Maria und Thea gleichzeitig geliebt, worüber Maria fast nervenkrank geworden war. Für die hochmütige Thea war Maria nur eine Büroliebe, die ihr nichts anhaben konnte. Jetzt gefiel es mir, dass ich an ein und demselben Tag an einer Beerdigung teilgenommen hatte und in Kürze mit Maria Austern essen würde. Durch ihren Lebensstil hatte Maria in den letzten Jahren ein wenig zugenommen, was mich nicht störte. Maria sagte, ich solle ihr sofort sagen, wenn sie für mich zu füllig würde; sie würde dann auch wieder abnehmen.

Maria trug eine leichte helle Bluse und einen cremefarbenen Leinenrock. Sie fing an zu rennen, als sie mich sah, und sprang an mir hoch wie ein Kind. Ich hatte keinen Zweifel, dass ihre Lebensfreude echt war und tatsächlich mir galt. Sie umarmte mich und drang mit den Lippen in meinen Hemdkragen. Die stürmische Begrüßung war schön und schmerzlich. Maria konnte nicht erkennen und nicht fühlen, dass ich im Inneren ein Finsterling war, der sie eines Tages verlassen würde. Marias sich immer wieder öffnender Mund hatte die Schönheit eines immer wieder wegfliegenden Vogels. Ich verlor mich an dieses kaum zur Ruhe kommende Gesicht. Ich musste Maria helfen, vom Alkohol loszukommen, aber wie? Die Idee, bei Hertie Austern zu essen, kam von ihr. Eine derartige Neuheit wäre mir selbst niemals aufgefallen. Ich hätte wahrscheinlich ein besseres Lokal für angemessen gehalten. Aber Maria wollte den Zusammenstoß von Luxus und Spießertum beobachten. Ich hatte ihr gesagt: Wer dabei mitmacht, wird selbst zum Spießer. Das sind wir doch schon längst, hatte

Maria geantwortet. Ich bin vollkommen sicher, dass Austernessen kein Hobby von mir wird, sagte ich.

Bei Hertie fuhren wir mit der Rolltreppe in die Erfrischungsabteilung im Tiefgeschoss. Maria war schon öfter hiergewesen, sie kannte sich aus. Eine sogenannte Mittelmeertheke befand sich rechts zwischen der Frischfleischabteilung und der Bäckerei. Es handelte sich um eine stark belebte Bar mit dem Zuschnitt eines Schiffsbugs. Ich stieß mich schon an dem Wort Mittelmeertheke. Unmerklich wurden die Menschen von ihrer Umgebung zu Spießern gemacht. Diese Angst entzündete sich noch stärker am Bild der Männer und Frauen, die an der Mittelmeertheke saßen und aßen. Ich tippte auf Autohändler, Immobilienmakler, Versicherungsvertreter, Abteilungsleiter. Sie aßen tatsächlich Austern und schlürften hörbar. Es sind aufgestiegene Kleinbürger, die können sich am besten freuen, sagte Maria. Obwohl mir die Bemerkung gefiel, konnte ich mich meiner Distanz nicht erfreuen. Zum Zeichen meines Abstands bestellte ich keine Austern, sondern einen gewöhnlichen Salatteller mit Röstkartoffeln. Du bist zu empfindlich für das Hertie, sagte Maria. Die Männer flirteten mit den Bedienungen hinter der Theke. Weil eine Blondine nicht auf die Anmache der Männer einging, sagte einer von ihnen: Die Mutti ist ganz putti. Es erhob sich starkes Gelächter.

Du meinst, die Männer glauben: Das hier ist ihre originale eigene Welt?

Genau, sagte Maria, deswegen sind sie so positiv und fröhlich.

Maria aß langsam ihre Austern und beobachtete die Leute ringsum.

Als ich selber aufstieg, sagte sie, habe ich das auch geglaubt.

Damals in der Werbung?

Ja, antwortete sie, ich hatte dasselbe Gehabe mit Sonnenbrille, Handy, Schirmmütze und auf die Theke geknallten Autoschlüsseln.

Wir lachten.

Bei Frauen wirkt das besonders einschneidend, sagte Maria, das habe ich damals nicht gewusst. Dabei wollte ich nur meinen kleinen Aufstieg ein bisschen feiern. Ich war eine Schichtenwechslerin, die freuen sich am heftigsten.

Und was macht dir heute daran noch Freude?

Der Rückblick, sagte Maria, und die Angst um die Leute. Ich sehe ihnen an, dass sie abstürzen werden, jedenfalls die meisten. Sie sind zu gutgläubig, das ist das Problem. Sie tun mir leid, ich würde sie gerne jetzt schon trösten.

Ich hörte Maria gerne zu. Sie konnte gut beobachten und das Beobachtete gut ausdrücken, genau das richtige für die Werbung. Wenn nur der Alkohol nicht gewesen wäre! Maria trank bereits das dritte Glas Weißwein, schon das zweite wäre zuviel gewesen. Es zeichnete sich ab, dass ich sie nachher nach Hause bringen oder mit zu mir nehmen musste. Es war mir klar, dass mir das zuviel werden würde und dass ich das jetzt schon wusste. Mittagessen dieser Art hatten wir schon viele hinter uns. Jedesmal zog eine leichte Bitterkeit in mich ein. Es gab ein Signal, das sie selbst nicht an sich ertragen konnte: wenn der Alkohol ihre Rede undeutlich machte. Sie wusste, ich schlief gerne mit ihr, wenn sie nicht mehr ganz auf der Höhe war. Und sie ahnte vermutlich auch, dass ich vielleicht deswegen nicht wirklich gegen ihren Alkoholismus einschreiten wollte. Ich glaubte, Maria war auf stille Weise begeistert von ihrer sexuellen Macht über mich. Ihre Haut begann ein wenig mehlig und mürbe zu werden. Ich wusste nicht, wie Maria selbst zu diesen Veränderungen stand. Vermutlich empfand sie ihren Alkoholismus nicht als tragisch. Deswegen würde sie nachher in ihrer oder meiner Wohnung weitertrinken wollen. Genaugenommen waren wir schon vor langer Zeit übereingekommen, dass wir, wenn sie angetrunken war, in ihre Wohnung gingen. Aber in angetrunkenem Zustand vergaß sie auch unsere nüchtern getroffenen Vereinbarungen. Ich würde, wenn nötig ein wenig unsanft, auf *ihre* Wohnung drängen. Sie würde sich auf den Teppichboden setzen und mich bitten, eine Flasche zu öffnen. Ich würde ihrer Bitte nachkommen und ihr noch einmal einschenken. Dabei passierte es leicht, dass sie beim Gestikulieren und Reden ihr Glas mit der Hand umstieß. Für diesen Fall lagen hinter dem Papierkorb ein Stapel Papiertaschentücher und ein halbes Pfund Salz bereit. Rotwein im Teppich wurde sofort mit Taschentüchern abgetupft und mit Salz aus dem Teppich herausgesaugt. Die Flecken verschwanden, aber nicht ganz. Es blieb ein Mosaik von grauen, graugrünen und grauvioletten Resten.

Meine Bitterkeit ging auf einen bestimmten Punkt der Einsicht zurück. Ich machte mir klar, dass ich von dieser Frau vermutlich nicht mehr loskommen würde. Es folgte eine stumme Beschimpfung: Zweifellos liebst du diese Frau, und es ist kindisch, eine fleckenlose Liebe zu erwarten. Sie hat alles, was ich zum Leben brauche … ach, ich hörte auf damit. Ich hatte ihren Eintritt in mein Leben nicht rechtzeitig bemerkt, dadurch kam ich mir zuweilen überrumpelt vor. Wir waren über unsere Teller gebeugt und aßen und schwiegen. Das heißt, Maria schimpfte immer noch leise über die Männer um uns herum. Wenn sie angetrunken war, hielt sie sich für eine noch nicht zum

Zug gekommene Intellektuelle. Es war ihr bis jetzt nicht gelungen, mit ihren Fähigkeiten in geeignete Umgebungen vorzustoßen. Bei uns gilt jemand, der einen Anspruch nur privat einlöst, als nicht existent, sagte sie dann. Von einer Begabung müssen immer auch alle anderen erfahren, sonst gilt sie nicht. Ich wurde leider ein wenig ungeduldig. Die Prämie des Beischlafs nach diesem langen Essen verlor langsam an Wert. Ich dachte Gedanken, die ich schon viel zu oft gedacht hatte. Viel riskanter war, dass sich mein Verhältnis zur Sexualität (das Verlangen) in solchen Phasen oft aufspaltete. Wenn ich mit mir allein war, bemerkte ich lange nicht, dass mir etwas fehlte. Diese Ignoranz kam mir später meistens problematisch vor. Dabei hätte ich aufatmen können: Es reicht! Aber sobald ich mit Maria zusammen war, schlug die alte Beiß-, Greif- und Lutschgier wieder durch. Ich wollte dem Leben auf keinen Fall etwas schuldig bleiben. Dass in der (nicht eingelösten) Sexualität eine Schuld versteckt war, verstand ich nicht. Das Nichtverstehen irritierte mich, aber nur eine Weile. Dann erinnerte ich mich daran, dass es vieles gab, was ich nicht verstand.

Maria schob ihren leeren Teller von sich weg und fuhr sich mit gespreizten Fingern durch das Haar. Immer mal wieder klagte sie über juckende Kopfhaut. Sie holte ihren Lippenstift aus der Tasche und schminkte sich die Lippen neu, was ich auch nicht verstand, aber ich fragte nicht. Es konnte uns jetzt nur noch passieren, dass Maria plötzlich übel wurde. Die um uns herumsitzenden Männer hatten längst bemerkt, dass wir auf einen Beischlaf hintranken. Die Entblößung unserer Absichten entging Maria nicht.

Es macht mir Spaß, flüsterte sie mir zu, in den Männergesichtern den Neid zu sehen.

Den Neid? fragte ich; aber die haben doch auch Ehefrauen zu Hause.

Ja, zu Hause! sagte Maria; aber zu Hause sind sie erst wieder am Abend, und dann sind sie alle müde. Aber hier sitzt am hellen Tag eine Frau, die sich jetzt schon hingibt, das ist der Unterschied.

Ich musste lachen und fragte: Stört es dich nicht, dass es der Neid von Spießern ist?

Nein, sagte Maria, der Geschlechtsneid verähnlicht die Männer stark. Ein Intellektueller ist nicht qualitätvoller neidisch als irgendein Bürofuzzi, stimmts?

Maria entfuhr ein zärtlicher kleiner Rülpser, und ich sagte: Ich glaube, wir gehen mal.

Maria lachte und steckte ihre nicht gebrauchte Papierserviette in ihre Handtasche und rutschte vom Barhocker herunter. Sie schob sich ihren Rock zurecht und klärte mit ein paar Schritten, ob sie problemlos gehen konnte. Schon im Taxi kam mir der bevorstehende Beischlaf wie eine Art Fürsorge vor. Diese Empfindung war ungerecht und überheblich und entsprach nicht meiner Erregung. Tatsächlich belebten Marias frei ausgestreute Sexualzeichen auch mich. In der Wohnung war ich dankbar, dass Maria sofort in die Toilette ging und sich erbrach. Das war schon öfter so gewesen, deswegen war ich nicht erschrocken. Sie kniete vor der Schüssel; jedesmal, wenn etwas hochkam, drückte sie die Spülung, damit sich der Geruch nicht ausbreitete. Hinterher gurgelte sie mit Odol und putzte sich die Zähne. Dann legte sie sich ins Bett und sagte: Kannst du mich bitte ausziehen, ich bin erschöpft.

Momentweise sah es so aus, als hätte sie genau das sein wollen: erschöpft und kraftlos und willenlos und von liederlicher Anziehung. Weil ihr Leinenrock eng war, brauchte ich eine Weile, ihn von ihrem Körper zu lösen. Die Bluse war schneller weg, ebenso BH und Unterhemd. Ich öffnete meinen Gürtel und alle Knöpfe und ließ meine Kleidung nach unten rutschen, wie ich es seit Kindertagen gewohnt war, und legte mich neben Maria. Ihre Hand umschloss mein Geschlecht wie ein bewegliches Etui. Marias kurz geschnittenes, blond nachgefärbtes Haar zeigte an den Wurzeln ein aschiges Braun. Trotz der Schminke zeigten sich kleine, wulstartige Augenringe, die Stück für Stück in Marias Gesicht hineinwuchsen. Wie so oft betrachtete ich diese Einzelheiten und wusste nicht, ob sie mich störten oder nicht. Maria drehte sich ganz zu mir, ihre molligen Brüste kullerten mir entgegen. Im Radio ertönte eine weniger bekannte Symphonie von Mahler. Auf Marias Oberarmen bemerkte ich die allmähliche Überflutung mit rötlichen Hautpünktchen, genau wie damals bei Thea. Weil ich mich nicht genauer an Thea erinnern wollte, steckte ich mir Marias rechte Brust in den Mund und saugte daran wie ein Kind. Jetzt verzieh ich alle Missetaten, die mir je zugefügt worden waren, und ich verzieh mir selbst alle Missetaten, die ich anderen zugefügt hatte. Das Wort Missetaten rutschte mir vermutlich nur deswegen in den Kopf, weil ich durch Mahlers Musik ein wenig ergriffen war. Ich kam mir vor wie Hans im Glück, der rechtzeitig zur Stelle war, als unter den Menschen ein bisschen Freude verteilt wurde.

Ich sagte zu Maria: Zieh die Unterhose aus und setz dich auf mich.

Maria antwortete: Dazu bin ich zu schwach, du musst alles machen.

Marias Körper war verschwitzt und irgendwie leidend und gleichzeitig anmutig, das gab es, ich sah es vor mir. Ich streifte ihr den Schlüpfer herunter und hob sie auf mich drauf. Wenig später gab es zwischen unseren Körpern keinen Millimeter Platz. Maria hatte meine Kerze im Bauch und begann, langsam und weich auf meinem Unterleib zu schaukeln. Eine ganze Weile kam von ihr kein Ton. Sie schwieg vermutlich aus Ehrfurcht vor ihrem Leben, vielleicht auch aus Erschütterung. Früher hatte sie mir einmal gesagt, dass sie gerade dann, wenn sie angetrunken und ein wenig ungeschickt war, am tiefsten davon gerührt sei, dass es einen Mann gab, der sie begehrte. Ich hatte keine Ahnung, warum mir gerade jetzt unser Biologielehrer einfiel, der uns in der Unterprima das Leben der heimischen Raubvögel erklärte. Eines Tages machten wir einen Klassenausflug in das rheinhessische Ried, wo damals viele Vogelarten ungestört lebten. Habichte jagten Kaninchen, Sperber stürzten sich auf Feldmäuse, Baumfalken vertilgten Kleinvögel und Insekten. Eines Tages sah unsere Klasse etwas ganz Seltenes, ein Kornweihen-Pärchen. Das Wort Kornweihe hatten wir erst wenige Tage zuvor von unserem Biologielehrer gehört. Ich war von Marias Weichheit umhüllt und dachte die ganze Zeit an das Wort Kornweihe. Auch unser Biologielehrer konnte uns damals nicht erklären, was eine Kornweihe eigentlich sei und warum das Wort der Name eines Vogels war. Das Männchen flatterte eine Weile allein am Himmel und schwebte dann herab auf die Erde, wo das Kornweihenweibchen am Boden saß und wartete. Flügelschlagend und schreiend begattete das Männchen seine Partnerin und entschwebte dann wieder in die Höhe. Leider hatte ich keine Flügel und musste meine Begeisterung deswegen mit Geräuschen und Bewegungen ausdrücken. Erst jetzt fiel mir ein, dass ich die Kornweihe vor allem wegen ihres Entschwindens in den Himmel bewunderte und beneidete. Ja, dachte ich, so müsste auch der Mensch fliehen dürfen und durch die Flucht keinerlei Verstimmung zurücklassen. Maria wimmerte und stöhnte leise. Es war nicht klar, ob sie es wirklich kriegen würde. Aber wenn es nicht klappte, würde sie später auch mit ihrem langen Anlauf zufrieden sein. Ihre Anstrengung war eindrucksvoll, aber auch schwankend und unentschieden. Trotz ihrer Schwäche stieß sie kleine Schreie und Seufzer aus. Ich bemerkte, dass sie gelegentlich die Augen einen Spalt öffnete, genau wie ich. Wir redeten nicht darüber, was wir mit diesen Blicken beobachten wollten.

3

VON HALB SIEBEN bis halb elf saß ich am Zeichentisch und arbeitete wie ein von Kameras beobachteter Angestellter. An solchen Ausnahmetagen gelang es mir, innerhalb weniger Stunden die Arbeit einer halben Woche zu erledigen. Jetzt kam ich mir erschöpft und leer vor, obwohl der Tag erst angefangen hatte. Ich reinigte das metallene Spülbecken in der Küche, ich wischte die Staubflusen unter den Heizkörpern auf und wechselte das Bettlaken, auf dem Maria die Spuren einer kleinen Schmierblutung hinterlassen hatte. Maria war erschrocken, ich beruhigte sie. Erstens gefiel mir das Bild der Blutung. Es sah aus wie eine kleine Arbeit von Wols oder Pollock, und zweitens hatte ich das Gefühl: In meinem Bett pulsiert das Leben. Wenn ich einmal alt und ohne Frau sein und dann immer noch in diesem Bett schlafen würde, dann wäre ich beeindruckt von meinen bewegten Jahren. Ich zog das Bettuch herunter und sah, dass tatsächlich ein wenig Blut in die Matratze eingedrungen und nach irgendwohin versickert war. Wieder überlegte ich, ob ich eine Plastikfolie zwischen Bettlaken und Matratze einziehen sollte – und ließ es dann wieder. Ich wollte vor Maria, falls sie die Plastikfolie jemals entdecken sollte, nicht wie ein um seine Matratze besorgter Mann erscheinen. Durch die dichte Abfolge der Haushaltstätigkeiten kippte plötzlich mein Tagesgefühl. Meine Wohnung erschien mir jetzt wie ein einziger zusammenhängender Bereich der Verstocktheit und der Erstarrung. Ich konnte hinschauen, wohin ich wollte, überall lag etwas herum und bewegte sich nicht mehr. Das war die Stimmung, in der ich gewöhnlich die Wohnung verließ und draußen auf eine neue Eingebung hoffte. Vor drei Tagen hatte mir Maria ihre Unzufriedenheit gezeigt. Sie hielt mir vor, dass ich nicht in Urlaub fahren wollte. Der Vorwurf war zutreffend, ich fühlte mich schuldig und schwieg. Ich war nicht gern unter Leuten, die vierzehn Tage lang an einer Costa herumlagen, in ihrem Hotel täglich drei Mahlzeiten verzehrten und am Abend in der Hausbar ein Cuba libre tranken. Allerdings wusste ich, dass Maria diese Art Urlaub schätzte.

Alle fahren in Urlaub! rief sie aus.

Sie wusste nicht, dass ich es zum Verzweifeln fand, wenn sie mir derart konventionelle Vorwürfe machte. Allerdings berührte es mich auch, wenn ich ihr Gemüt hilflos klagen hörte.

Willst du denn nie Urlaub? fragte sie geschmerzt.

Ja, doch, du hast schon recht, sagte ich, um die Debatte zu beenden. Den letzten Satz hätte ich vielleicht nicht sagen sollen.

Das erste ist, antwortete Maria, dass du dir für den Urlaub eine helle Sommerhose und ein leichtes Sakko kaufen musst.

Im Ernst? fragte ich schwach.

Du kannst nicht in deinen dunklen Sachen in einem hellen Land herumlaufen, sagte sie.

Dieser Satz gefiel mir sehr gut. Momentweise überlegte ich mir, wie es wäre, wenn ich in dunklen Kleidern in einem hellen Land herumliefe. Ich war voller Respekt für Marias Einfühlung in fremde Länder, obwohl ich die ganze

Zeit wusste, dass ich nicht in Urlaub fahren würde, weder in hellen noch in dunklen Kleidern. Ich war schon lange an Marias Vorwürfe gewöhnt. Ich fand es (heimlich) schön, hinter meiner Zeit zurückzubleiben (Urlaubsverweigerung). Noch schöner war, die Verweigerung zu bemerken und daraus den Honig einer lächerlichen Abweichung herauszusaugen, nach der es Maria nicht verlangte. Ich fühlte, wie mich die Zeit schmerzte, weil sie so oft bloß an mir vorüberging. Ich würde nicht in die Herrenabteilung eines Kaufhauses gehen, ich würde mir nicht Jacken und Hosen ansehen, ich würde nichts kaufen müssen. Ich merkte, wie mich meine Stimmung von Minute zu Minute gläserner machte. Plötzliche Einsichten machen leblos, ich kannte das aus ähnlichen Situationen. Zum Glück entdeckte ich in meinen immer noch herumliegenden Bettsachen einen Grashüpfer. Er musste ins Zimmer gekommen sein, als die Balkontür lange offenstand und ich mit Duschen und Rasieren beschäftigt war. Ich überlegte, ob ich das Bett den ganzen Tag lang nicht anrühren sollte, um dem Grashüpfer ein Gefühl dafür zu geben, dass es außer der ersten Natur eine zweite (gemachte) Natur gab, die auch nicht schlecht war. Leider störte mich mein albernes Bildungsgehabe. Ich nahm die Bettdecke samt Grashüpfer und schüttelte sie auf dem Balkon aus. Ich wusste schon jetzt, dass mich nachher, wenn ich auf der Straße sein würde, plötzlich ein Verlangen nach Maria und Karin packen würde. Das Telefon klingelte, ich ging nicht dran. Dabei wollte ich nicht zu fahrlässig werden. Es war möglich, dass Erlenbachs Büro nach mir verlangte. Im Radio lief ein Klarinettenstück von Brahms. Da sah ich, dass der Grashüpfer noch immer in meiner Wohnung war. Er hatte sich rechtzeitig auf das Kissen gerettet, von mir unbemerkt. Nach einer Weile sehnte ich mich danach, so langweilig sein zu können, wie Brahms es gewesen sein musste. Vermutlich war es immer noch revolutionär, die Welt mit ihrer unaufhebbaren Langeweile zu konfrontieren. Es war ein einschläferndes, kurzatmiges Klarinettengefiepe, im Hintergrund ein halb abgestorbenes Geklimper am Klavier. Wahrscheinlich war alles Unfug, was ich dachte, und ich wusste es. Brahms war einer der ernstesten und radikalsten Künstler, die es je gegeben hatte. Der Grashüpfer saß auf der am höchsten aufgebauschten Stelle des Kissens. Jetzt hau ab, ich will gehen, sagte ich zu ihm. Er hüpfte tatsächlich, aber nicht zur Balkontür hinaus, sondern hinab auf ein kleineres Kissen. Ich überlegte, ob ich ihn fangen und eigenhändig hinauswerfen sollte. Aber dafür war das Tier schon ein wenig zu groß. Als Kind hatte ich im Sommer fast jeden Tag Grashüpfer gefangen. Aber eines Tages griff ich nach einem zu großen Grashüpfer, und als ich merkte, wie sehr das Tier von innen gegen meine geschlossene Faust drückte, packte mich einer der ersten Ekelanfälle meines Lebens. Ich öffnete die Hand, schleuderte das Tier in die Gegend und fing nie wieder einen Grashüpfer. Ich ging in die Küche und holte ein Wasserglas und einen Bierdeckel. Mit bösartiger Plötzlichkeit stülpte ich das Glas über den Grashüpfer, schob den Bierdeckel unter das Glas, trug beides auf den Balkon und schleuderte den Grashüpfer aus dem Glas hinaus in die Luft. Ich schätzte diese vor sich hinschleichenden Tage, aber sie durften nicht zu langsam werden. Dann wuchs die Gefahr, dass ich mir im Handumdrehen verarmt vorkam. Von meinem Balkon aus sah ich einen Pfandflaschensammler, den ich hier schon öfter gesehen hatte. Er hatte sich aus Kartonhälften, aufgespannten Schirmen und alten Kleidern eine Art Wohnloch gebaut. Niemand ging gegen ihn vor, was mich wunderte, aber wahrscheinlich war ein Schlag gegen ihn in Vorbereitung. Ich ging zurück in meine kleine Küche und aß vom Kürbiskernbrot die Kürbiskerne herunter. Durch diese Tätigkeit legte sich allmählich meine Unruhe. Es war noch nicht lange her, dass ich mir beinahe täglich Gedanken darüber machte, was mit meinen alten Eltern geschehen sollte. Wo sollten sie wohnen, wer sollte sie pflegen, wer sollte ihnen den Alltag erträglich machen? Jetzt waren meine Eltern tot, und das Verblüffende war, dass ich mir immer noch die alten Sorgen machte, die sich jetzt auf mich selbst bezogen: Wo sollte ich wohnen, wer sollte mich pflegen, wer sollte mir im Alltag helfen? Ich hatte schon längst bemerkt, dass ich selbst alt sein wollte, weil mir die Lust an jeder Art von Arbeit abhanden gekommen war. Ich sehnte mich nach Ruhe und Untätigkeit. Ich musste diese Sehnsüchte verheimlichen, weil sie mir altersmäßig noch lange nicht zustanden. Ein Mann, der nicht Tag für Tag arbeiten will, gilt als unmännlich. Angeblich sollte ich mich jetzt in den besten Mannesjahren befinden.

Auch Maria schätzte mich falsch ein, worüber ich mir fast täglich Sorgen machte. Sie wollte vermutlich schwanger werden und heiraten und sich verschlingen lassen von ihrer Rolle als liebevolles Hauswesen, welches Leben empfing und Leben zurückgab und neues Leben auf die Welt brachte, und zwar irgendwie unaufhörlich. Maria war ein Mensch, der sich mit enormer Kraft in ein Stück Wirklichkeit festbiss, um aus diesem Biss ihr Leben zu formen. Dieses Stück Wirklichkeit war ich. Es ängstigte mich, Marias Biss zu spüren, mehr noch ängstigte mich, dass es vor diesem Biss vermutlich kein Zurück gab. Gleichzeitig rührte mich Maria, wenn sie nachts zu mir kam, mir in die Schlafanzugshose griff und sagte: Nimm alles. Sie hielt mein rasch erigiertes Glied in der Hand, streifte mir die Schlafanzugshose herunter und schob sich unter mich. Einem Wesen, das so direkt seine Wünsche zeigte wie Maria, war ich nahezu schutzlos ausgeliefert.

Aber nicht ganz. Als ich (immer noch fast im Halbschlaf) in ihr steckte, griff ich zu einem Mittel, das in den Bereich der Notwehr fiel und das ich schon öfter angewandt hatte. Ich simulierte einen Samenabgang. Maria hatte mich übertölpelt, jetzt übertölpelte ich sie. Nach einiger Zeit stöhnte ich ein bisschen herum und verlangsamte meine Bewegungen, so dass für Maria der Eindruck entstand, ich hätte kurz zuvor eine ausreichende Menge Samen abgegeben. Inzwischen hatte ich fast alle Kürbiskerne von dem Kürbisbrot heruntergegessen. Meine Trödeligkeit schob mich langsam fast von selbst aus der Wohnung. Ich verstand nicht, warum auf meinem Leben (durch die Trödeligkeit hindurch) noch immer ein solcher Druck lastete. Gut, meine Jugend war öde und schlicht gewesen, mein Vater war nicht eindrucksvoll und nicht erfolgreich, aber das hatte ich ihm nur während meiner Jugend vorgehalten, später nicht mehr. Meine Mutter war eine unauffällige Hausfrau, ebenfalls total unmarkant, aber gut erträglich durch ihre Ähnlichkeit mit zahllosen Müttern in unserer Umgebung. Jedenfalls war auch sie keine Person, die ich mit adoleszenter Vergeltung hätte verfolgen müssen. Meine Existenz als Schüler war zermürbend durch jahrelange Erfolglosigkeit. Aber irgendwann verlor sich die angenehme Vergeblichkeit und verwandelte sich, beinahe ohne mein Zutun, in die Normalität des bürgerlichen Lebens. Ich schaffte, trotz vieler tückischer Widerstände, doch noch das Abitur, studierte Architektur und hatte Anteil an den grundsteinlegenden Glücken: Beruf, Wohnung, Einkommen, Frau, Urlaub. Nein, Urlaub nicht. Woher aber kam dieser nicht verschwindende Druck, der sich bis zum heutigen Tag durch mein Leben zog und den ich wenigstens einmal in der Woche abwehren musste?

Der Schmerz der plötzlichen Vergegenwärtigung stieg im Inneren meines Körpers hoch und schlug mir auf die Augen. Ich bemerkte ihn im Badezimmer, als ich Anstoß nahm an der entsetzlich grün-gelben Plastikflasche, in der sich das Haarshampoo befand. Ich verließ rasch das Bad und stellte mich im Wohnzimmer an das Fenster. Auf der Straße sah ich eine kleine Frau mit viel zu großem und schwerem Koffer, den sie in gequälter Haltung hinter sich herzog. Um ein Haar hätte ich das Fenster geöffnet und auf die Straße hinuntergerufen: Reisen Sie künftig mit kleinerem und leichterem Gepäck! Ich sah einen Mann mit Ohrstöpseln im Ohr, aber ohne Regenschirm. Jemand müsste ihm klarmachen, dass ihm, falls es regnete (es regnete nicht), ein Schirm mehr nützen würde als Musik in den Ohren. Das Peinigende an diesen Verrücktheiten war, dass sie ganz eng an mich herantraten und nur langsam verschwanden. Endlich zog ich die Schuhe an und verließ die Wohnung. Ich hoffte, auf der Straße einen wirklich vor sich hinsprechenden Verrückten zu sehen, dem ich eine Weile folgen könnte. Dann hätte ich das wunderbare Gefühl, dass ein anderer meine Verrücktheit austrug – und wäre erlöst. Aber es gab heute keine Verrückten auf der Straße. Ich ging umher, bis sich das Schmerzliche in meiner Brust allmählich verlor. Zwei halbwüchsige Jungen fuhren auf Fahrrädern auf mich zu und bremsten erst kurz vor mir ab. Eine junge Frau keuchte in einem verschwitzten Unterhemd an mir vorüber. Eine andere Frau zog einen weißen

Plastikhandschuh an und räumte den Scheißhaufen ihres Hundes weg. Momentweise glaubte ich, ich hätte wenigstens nasse Strümpfe, aber ich hatte keine nassen Strümpfe. Schwer erträglich am Sommer war, dass es nichts gab, was die Stadt verwandelte. Im Winter genügt ein einziger Schneefall, und die Stadt ist eine andere. Im Sommer huschten Amseln über halbleere Straßen, das war alles. Ich selbst hatte leider kein Talent für einen auffälligen Lebensstil. Noch dazu war ich in ein Alter vorgestoßen, in dem das Leben keine nennenswerten neuen Fakten mehr hervorbrachte.

Ich versuchte, durch das Anschauen von schönen Bildern ein anderer zu werden, aber es klappte nicht. Vor ein paar Wochen hatte ich, um die Armseligkeit meiner Jugend auszudrücken, gegenüber einem Bekannten behauptet, fast das einzige Glück meiner Kindheit seien die Lurchi-Hefte gewesen, die es damals beim Kauf von Salamander-Schuhen gratis gab. Natürlich hatte ich als Kind noch viele andere Freuden gekannt, zum Beispiel das Herumtreiben auf Rummelplätzen oder der Besuch von Zirkussen. Außerdem entdeckte ich in dieser Zeit die schwer erforschbaren Freuden der Onanie. Ich hatte mich als Kind gefragt, ob auch Lurchi onanierte. Erst nach einer Weile war mir wieder eingefallen, dass Lurchi ja kein Mensch, sondern ein Salamander war, und Salamander konnten meines Wissens nicht onanieren. Ich erzählte zwei Bekannten (Architekten) von meinen damaligen Überlegungen. Schon nach wenigen Sätzen hatte uns die Erzählung in heitere Stimmung versetzt. Auf diese Weise hatte sich (damals) das gemeine Gefühl der Armseligkeit erstaunlich schnell aufgelöst. Aber die Erinnerung an den Scherz war schal geworden und belustigte mich heute nicht mehr. Statt dessen fragte ich mich: Wer wird mich im Alter zum Lachen bringen? Wer wird, wenn ich gestorben sein werde, eine Todesanzeige in der Zeitung aufgeben? Wer wird meine Wohnung auflösen? Werden Fremde meine Schränke öffnen und meine Privatbriefe lesen?

Ich suchte Hilfe bei den Schaufenstern einer riesigen Parfümerie. Sie waren nur bis zu ihrer halben Höhe dekoriert, so dass ich leicht in das Innere der Parfümerie schauen konnte. Vier junge Verkäuferinnen bewegten sich langsam wie Zierfische hinter ihren Verkaufstheken. Nicht eine einzige Kundin hielt sich im Inneren des Ladens auf. Die Verkäuferinnen waren erstaunlicherweise kaum geschminkt. Sie zeigten ihre wunderbaren bleichen Gesichter, ihre mädchenhaften blassen Lippen und die leichte Rötung auf ihren Wangen. Die Frauen erschienen mir wie plötzlich aufgetauchte Naturdenkmäler, die ich wie Sehenswürdigkeiten anglotzte. Ähnlich fasziniert stand ich als Kind vor den Schaufenstern einer großen Spielwarenhandlung und begehrte hoffnungslos die Modelleisenbahnen von Märklin und Fleischmann. In den bittersten Sekunden des Schauens wurde ich fast verrückt, weil meine Eltern arme Leute waren und mir keine Modelleisenbahnen kaufen konnten, auch nicht zu Weihnachten oder zum Geburtstag. Die Frauen in der Parfümerie hatten mich immer noch nicht bemerkt oder sie fanden mich belanglos. Sie standen dicht beieinander, redeten und zeigten sich ihre Fingernägel und die Innenseiten ihrer Handgelenke. Der Impuls des Weinenwollens löste sich in Höhe meiner Lunge dicht unterhalb des Halses und schlug dann hoch in die Kehle. Dort verweilte der Reiz eine Weile, meine Augen feuchteten sich ein, danach stieg der Reiz weiter nach oben bis hinter die Augen. Ich hätte es gern gesehen, wenn wenigstens eine der Verkäuferinnen meine Einfeuchtung entdeckt hätte. Ich glaubte, dass es sich um Tränen der Verehrung handelte, die ich den Frauen darbrachte. Kurz darauf bemerkte ich einen kleinen zärtlichen Schwindel. Tatsächlich weinte ich, weil die Frauen auf seltsame Weise den ebenso unscheinbaren Verkäuferinnen aus der Spielwarenhandlung von damals ähnelten, ja, ich hätte schwören mögen, dass es sich wirklich um die Verkäuferinnen von damals handelte, die mir den Schmerz meiner Kindheit vorführten. Ich wischte mir die Augen ab und kam mir ein bisschen krank vor. Was sollte ich tun? Ich konnte ja nicht zu einem Arzt gehen und klagen, dass mir wenigstens heute eine Modelleisenbahn geschenkt werden müsste. Um von meiner Übertriebenheit loszukommen, überlegte ich kurz, Maria einen Wunsch zu erfüllen und mir sofort eine neue Jacke und eine neue Hose zu kaufen. Aber es gab entweder tüddelige senfgelbe Popeline-Jacken für Rentner oder grellbunte Pop-Jacken für ganz junge Leute. Die meisten Menschen wurden von ihren Jacken einander noch ähnlicher gemacht, als sie es ohnehin schon waren. Da kam mir Birgit entgegen, eine Jugendfreundin. Sie war hochschwanger und ging langsam. Sie hatte mich rasch entdeckt und kam auf mich zu. Sie war damals fünfzehn, ich sechzehn. Wir gingen sonntagnachmittags ins Kino, ich nahm von Beginn an ihre Hand und legte sie in meine Hand. Auch als sich zwischen unseren Händen Feuchtigkeit bildete, ließ ich ihre Hand nicht los. Irgendwann zog Birgit ihre Hand doch zurück und ließ sie neben sich baumeln. Ich konnte die zwischen unseren Kinosesseln hängende Hand nicht lange in Ruhe lassen. Aber als ich nach ihr griff, flüsterte Birgit zu mir herüber: Lass meine Hand trocknen, dann kannst du sie wieder haben. Jetzt erzählte mir Birgit eine wirre Geschichte, die ich fast so ähnlich geahnt hatte. Der Mann, von dem sie das Kind hatte, hieß Burghardt und wollte eigentlich mit ihr zusammenleben, sagte sie. Aber während sie Anschaffungen für das Kind machten und die gemeinsame Wohnung einrichteten, zog sich der Mann mehr und mehr zurück und sagte ihr erst vor kurzem, dass er doch nicht mit ihr und dem Kind zusammenleben wolle.

Oh! machte ich.

Ja, sagte Birgit, ich werde jetzt genau das, was ich niemals werden wollte, eine alleinerziehende Mutter.

Ein fremdes Kind lief mit seiner Mutter an uns vorbei und rülpste. Das Kind sagte zu seiner Mutter: Das kommt von meinem Magen. Birgit lachte über die Antwort des Kindes. Ich fragte sie, ob ich ihren Bauch streicheln dürfte. Sie erlaubte es sofort und schob mit der Hand ihr gespanntes T-Shirt in die Höhe. Dreimal fuhr ich mit der rechten Hand über ihren Bauchhügel.

Wenn ich geahnt hätte, dass Burghardt ein solcher Schuft ist, hätte ich mich niemals mit ihm eingelassen, sagte Birgit.

Ich fühlte mich plötzlich gereizt, mich als Birgits Retter aufzuspielen. Tatsächlich zuckte mir die Idee durch den Kopf, ich könne anstelle von Birgits geflohenem Freund mit ihr in die neue Wohnung einziehen und dort mein früheres (gegenwärtiges) Leben beenden. Ich kenne diese sentimentale Schwäche von mir und nehme sie eigentlich nicht mehr ernst, von einigen bedrohlichen Ausnahmen abgesehen. Da erfasste mich eine undeutliche Angst vor Schicksalsschlägen. Ich wollte Birgit unbedingt zeigen, dass ich heftig mit ihr fühlte und dass ich zu ungewöhnlichen Opfern bereit war. Ich wollte es Birgit gerade sagen und hatte den Satz schon angefangen, da sah ich eine andere junge

Mutter, die sich mit größter Lust den nackten Fuß ihres Säuglings in den Mund schob und daran saugte. Birgit und ich sahen das Bild nahezu gleichzeitig. Fast gleichzeitig wurden wir aus unserer Situation herausgerissen und standen plötzlich wie zwei fremde Passanten einander gegenüber. Ich brauchte eine Weile, bis ich mich wieder gefangen hatte, und brachte dann keinen besseren Satz als diesen zustande: Was machst du jetzt?

Ich geh ein bisschen zum Bahnhof, sagte Birgit.

Und was machst du dort?

Ich setz mich in den Warteraum und warte auf mein Kind, sagte sie und lachte.

Ich glaubte Birgit nicht recht. Vermutlich hatte sie nur etwas Originelles sagen wollen. Ein Mann mit tief in die Schuhe gerutschten Socken ging an uns vorüber. Früher trug ich auch solche Socken. Sie sind aus Plastik und ganz dünn, deswegen rutschen sie während des Gehens nach vorne. Immerhin hatte ich heute gute Wollsocken mit festem Sitz.

Ich glaube, ich muss mich verabschieden, ich muss mir noch Socken kaufen, sagte ich.

Ja, tu das, sagte Birgit mit einem kleinen Hohn in der Stimme.

Dann tschüss!

Kurz danach war ich weg. Einige Passanten, die sich untereinander nicht kannten, öffneten fast gleichzeitig den Mund. Ich lief unter ein paar Platanen entlang und betrachtete auf dem Gehweg die weißgrauen Flecken der Taubenscheiße. Ich bemühte mich, das Gegenwärtige als das immer schon Vergangene zu erleben, das hatte mir schon oft geholfen. Einige fast zerlumpte Figuren kamen den Bürgersteig entlang und verschwanden wieder zwischen den Wohlgekleideten und Gutversorgten. Ich wusste nicht, warum die Verwirrten, Verarmten und Verlassenen im Sommer viel auffälliger waren als im Winter. Ein kleiner Ausländer in schmutzig weißgrauem Anzug stand vor einem selbstgemalten Plakat und redete. Einige Jugendliche blieben stehen und lachten über die Fehler auf dem Plakat. Man geht arbeiten, man schläft, man isst, aber gottlos im Sünde, sagte der Ausländer zu den Passanten. Jesus ist gekommen, um Ihnen Macht gegen Sünde zu geben, die Kraft gegen Sünde, gegen Alkohol, Jesus will Ihnen verstärken. Die Jugendlichen lachten jetzt auch über die Fehler in seiner Rede, aber der Prediger ließ sich nicht stören. Wechsel kein Mann, wechsel kein Frau, verlasse Ihre Eltern nicht, Jesus hat Lösung, sagte der Mann. Ich sah den Fremden ernst an, so dass er mich vermutlich für interessiert hielt. Dabei war ich nur der übliche Soldat der Wirklichkeit, der aufnimmt, was sich ereignet. Ich erinnerte mich an Birgit mit einem kleinen Verlangen. Nach einem Kind verlangte es mich nicht, aber eine schwangere Frau zog mich stark an. Das Beste wäre, ich hätte eine dauerhaft Hochschwangere, bei der es nie zu einer Geburt kommt, stets um mich herum. Ein wenig Tränenflüssigkeit stieg mir in die Augen, ich suchte nach ihren Gründen und fand sie nicht. Vermutlich war mir nur die innere Unmöglichkeit meines Lebens ein wenig zu nahe gekommen. War es denn möglich, sich eine permanent Schwangere als Lebensbegleiterin zu wünschen? Seit ein paar Augenblicken dauerte mir der Tag zu lang. Es ist alles so ödlich und tödlich, dachte ich und lachte kurz. Ich staunte über die riesigen Brote in den Bäckereien. Gab es neuerdings wieder große Familien, in denen große Brote auf den Tisch kamen? Schon zum zweiten Mal an diesem Nachmittag sah ich ein Geschäft, das gerade pleite ging. Eine leicht verwirrte Frau mit einem Trinkbecher in der Hand kam vorüber und sagte: Jeden Tag sage ich guten Tag zur Sparkasse. Ich wollte weitere Sätze von ihr hören, aber es kam nichts mehr. Ich überquerte die Straße und betrat das teuerste und eleganteste Café der Stadt. Es gehörte zu einem ebenfalls teuren und eleganten Palasthotel, dessen Eingangspforte im Hintergrund zu sehen war. Rings um das Café war ein gepflegter Hotelgarten angelegt. Tausendmal war ich an diesem Café vorübergegangen, heute wollte ich zum ersten Mal hier Gast sein. Ich betrachtete flüchtig die weit geöffneten Blüten von Pfingstrosen und Forsythien. Es gab viel Platz zwischen den mit hellgelbem Damast gedeckten Tischen. Ich setzte mich, sah nicht umher und wartete. Schon nach kurzer Zeit hatte ich das Gefühl, dass sich das Café vor mir aufspielte. Ich fragte mich, in welchem Alter ich begonnen hatte, Schönheit zu empfinden. Es konnte noch nicht allzu lange zurückliegen. Es muss die Schönheit der Hotelanlage gewesen sein, die in mich eindrang und mich leicht erschreckte.

Eine Bedienung verließ den Eingang des Palasthotels und kam ohne Eile auf mich zu. Ich bestellte ein Kännchen Kaffee, einen Apfelstrudel und ein Glas Sekt. Die Bedienung lächelte schwesterlich und verschwand. Ein Herr verließ einen Tisch und wünschte einem zurückbleibenden Herrn einen »erfolgreichen Tag«. Ich betrachtete einen Kellner, der seitlich an einem Tisch stand und Essbestecke in weiße Servietten einrollte. Der Kellner sah die Gäste während seiner Arbeit nicht an. Die zwischen den Tischen herumhüpfenden Spatzen ähnelten den hüpfenden Blechvögeln, von denen ich als Kind einen besaß. Mein Blechtier hüpfte genauso über unseren Teppich im Wohnzimmer wie die echten Spatzen über den hellen Kiesweg zwischen den Tischen. Als Kind dachte ich, die Blechtiere waren zuerst auf der Welt, und nach ihnen wurden die lebenden Spatzen konstruiert. Nein, das hatte ich nicht als Kind gedacht, das dachte ich jetzt. Ich staunte kurz über einen Mann, der seinen halbleeren Teller zurückschob und dann aufstand und wegging. Elegant gekleidete Kinder fuhren auf Rollern und Dreirädern die Wege entlang. Die Bedienung kehrte zurück und stellte Kaffee, Kuchen und Sekt auf meinem Tisch ab. Ich wollte zahlen wie üblich, aber als die Bedienung fragte, ob die Rechnung aufs Zimmer gehe, nickte ich kurz und zeichnete die Rechnung ab.

Welche Zimmernummer bitte?

Hundertvierunddreißig, sagte ich.

Die Bedienung notierte die Nummer und verschwand. Mit unangemessener Langsamkeit machte ich mir klar, dass ich mich soeben des Betrugs schuldig gemacht hatte. Ich aß den Apfelstrudel zur Hälfte auf und trank den Sekt, der Kaffee war mir zu heiß. Wie der Mann vor mir stand ich auf und ging blicklos hinaus.

4

UNTEN, AUF DER STRASSE, trottete wie fast jeden Tag ein langsamer Obdachloser vorüber. Meine Kaffeemaschine ging langsam ihrem Ende entgegen. Sie keuchte inzwischen wie ein alt gewordener Hund. Ich rechnete beinahe jeden Tag damit, dass sie in Kürze mit einem kleinen Knall ihre Tätigkeit einstellte. In der Nacht von gestern auf heute hatte sich in meinem Plumeau ein kleiner Riss aufgetan. Dort, wo ich im Dunkeln oft hinfasste, um das Plumeau über mich zu ziehen, war das Gewebe brüchig geworden. Mein Kühlschrank war so gut wie leer, ich musste einkaufen. Ich öffnete das Fenster, um einer Amsel besser zuhören zu können. Da sah ich etwas Sensationelles: Die Amsel sang und schiss gleichzeitig. Da! Vorne, aus dem schönen gelben Schnabel, stieß sie lange Triller aus, und hinten, unterhalb des Schwanzes, schossen mehrere kleine weiße Scheißespritzer hervor. Das Kunststück war mit einer leichten Körperanhebung verbunden, die dem Tier die beiden Anstrengungen vermutlich erleichterte. Ich wartete auf eine Wiederholung, aber da erschien auf dem Trottoir eine lärmende Kindergartengruppe mit zwei Betreuerinnen. Das war der Amsel zuviel, mir auch. Ich wollte das Fenster schließen, aber dann fiel mir auf, dass fast jedes Kind ein Spielzeug oder ein Ausrüstungsteil mit sich führte. Einen Sturzhelm, einen Roller, eine Pistole, einen Kettcar, eine Trommel, ein Stoppschild, mit Perlen bestickte Rucksäcke oder Schuhe mit blinkenden Absätzen. Der Anblick verstimmte mich. In meinem Inneren plädierte ich für die sofortige und endgültige Enteignung der Luxuskinder und schloss das Fenster. In der Küche sammelte ich leere Flaschen ein. Gerade wollte ich die Wohnung verlassen, da klingelte das Telefon. Am anderen Ende war Thea, die sich mit mir verabreden wollte. Ich hatte keine Lust, Thea wiederzusehen, aber es fiel mir so schnell keine Ausrede ein. Immerhin gelang es mir, sie in ein Café und nicht in ein Restaurant zu bitten, um 12.00 Uhr. Bis dahin hatte ich noch mehr als eine Stunde Zeit, die ich leider nicht recht nutzen konnte, weil mich das Wiedersehen mit Thea beunruhigte. Thea hatte bis heute den Drang, unsere Ehe zu besprechen, was sie schon während der Ehe leidenschaftlich tat und was mich schon damals lähmte. Auf der Straße war es jetzt ruhig. Mir fiel ein, dass ich ein neues Armband für meine Armbanduhr brauchte. Das Lochende des Armbands war vor etwa zwei Wochen gerissen und abgefallen. Ich müsste es schaffen, einen Uhrenladen zu betreten und zu sagen: Ich möchte ein neues Armband für meine Armbanduhr. Dann müsste ich meine Uhr mit dem schadhaften Armband auf die Ladentheke legen. Statt dessen hatte ich angefangen, an dem abgerissenen Ende des Armbands Gefallen zu finden. Während des Gehens holte ich zuweilen die Armbanduhr aus meiner Sakkotasche heraus und betrachtete mit Bewunderung das Moment der Abgerissenheit. Ich staunte darüber, dass ein so kleines Zeichen das Hauptmerkmal des Lebens, die allgemeine Zerfetztheit, so wunderbar präzise abbilden konnte. Allerdings fürchtete ich mich schon davor, dass das abgerissene Uhrarmband eine Ankündigung der zukünftigen Abgerissenheit meines ganzen Lebens bedeuten könnte. Gleichzeitig

musste ich innerlich lachen über meine kindische Alltags-
mystik. Prompt ging ich erneut an dem von mir favorisier-
ten Uhrenladen vorbei. Allerdings sah ich fast gleichzeitig
schon wieder einen neuen Briefträger. Ich sah es ungern,
dass die Post ihre Briefträger so oft auswechselte. Schon
aus einiger Entfernung konnte ich die unwissende Flüch-
tigkeit erkennen, mit der der neue Postmann ans Werk
ging. Ich strebte nach einem Vertrauensverhältnis zu meinem Briefträger. Ich wollte, dass der Mann (oder die Frau)
mich und meinen Briefkasten kennenlernte. Statt dessen
musste ich mit ansehen, wie der neue Mann mit postun-
üblicher Hast manche Briefe in die falschen Briefkästen
stopfte und mit schlechtem Gewissen davoneilte. Ich fürchtete, die vielen schlechtbezahlten Postangestellten litten
unter ihrer Scham. Vermutlich fanden sie es bedrückend,
dass sie jetzt Briefträger geworden waren und sogar diese
scheußlichen Postgummiuniformjacken tragen mussten.
Ein stets wiederkehrender Briefträger wäre für mich ein
wertvolles Verbindungsglied zum abstrakten Allgemeinen
gewesen, unter dem alle litten (ich besonders), weil es uns
als geschlossenes System gegenübertrat und sich kaum
durchschauen ließ. Wenig später erschöpften mich meine
Gedanken über die Post. Mein Gott, seufzte ich leise für
mich, es ist nur die Post!

Das Lokal war ein mäßig schrilles Jugendcafé und
kaum besucht. Ich wählte einen Tisch in der Nähe des
Fensters und bestellte einen Milchkaffee. Gerade wollte
ich eine Zeitung aufschlagen, da trat Thea schon ein. Sie
war überschminkt und nur mit Rock und Bluse bekleidet.
Sie beugte sich über mich und gab mir einen Kuss auf die
Wange.

Du siehst gut aus, sagte ich.

Du willst bloß nicht sagen, dass ich dir nach wie vor gefalle, sagte sie.

Ach Gott, machte ich.

Du siehst auch gut aus, sagte sie.

Sie bestellte einen großen Espresso und einen Grappa.

Du trinkst harte Sachen?

Nur heute, sagte sie, ich muss mir ein bisschen Mut antrinken.

Sie lachte.

Wozu brauchst du Mut?

Das wirst du gleich merken, sagte sie.

Du machst mich unruhig.

Schieb es nicht auf mich, sagte sie, unruhig bist du doch immer.

Du bist wieder so oberschlau.

Ich weiß nicht, wie ich anfangen soll.

Das macht mich noch unruhiger.

Also gut, sagte sie, ich will dich anpumpen.

Oh, machte ich und schwieg eine Weile.

Dann sagte ich: Warum gehst du nicht zur Bank?

Du kennst mich doch, sagte sie, Banken machen mir sogar dann angst, wenn ich nichts von ihnen will.

Lange nachdenken musste ich nicht. Ich wollte Thea kein Geld leihen. Dennoch fragte ich: Wieviel brauchst du?

Zehntausend, sagte sie.

Oh, machte ich zum zweiten Mal.

Ich kann es dir erklären, sagte Thea; ich will mir meine Zähne richten lassen. Beziehungsweise, es ist viel schlimmer. Ich war endlich beim Zahnarzt, weil ich so oft Zahnschmerzen habe. Der Zahnarzt hat festgestellt, dass der Untergrund meiner Zähne angefault ist. Wahrscheinlich ist nichts mehr zu retten.

Ich sah, dass ihr die Tränen kamen. Ich schaute in meine halbleere Tasse und schwieg. Thea schluckte und wartete eine Weile.

Der Zahnarzt sagt, sagte Thea, ich brauche ein Gebiss, komplett neue Zähne oben und unten.

So schlimm ist es?

Ich kann auch noch zwei oder drei Jahre warten, sagt der Zahnarzt, aber dann habe ich jeden Tag Zahnschmerzen.

Hast du niemand außer mir, der dir Geld leihen könnte?

Es tut mir leid, sagte sie, bei dir fällt es mir am leichtesten; ein neues Gebiss kostet mich etwa zwölftausend Euro. Zweitausend habe ich auf dem Sparbuch. Und den Rest, ja, um den Rest bitte ich dich. Im Lauf von zwei Jahren kann ich es dir zurückzahlen, in Raten von jeweils fünfhundert Euro.

Ich hätte gern überlegt, aber ich konnte nicht überlegen, ich konnte nicht einmal zögern. Thea wollte das Geld so bald wie möglich, am besten schon morgen. Jetzt zögerte ich doch, und Thea sah es.

Der Zahnarzt besteht auf Vorkasse, sagte sie, aufgrund seiner schlechten Erfahrungen.

Was für schlechte Erfahrungen?

Mit zahlungsunwilligen Patienten. Er hat es satt, sagte sie, seinem Honorar jahrelang hinterherzulaufen.

Mir war nicht wohl, aber ich würde ihr aushelfen. Ich wusste lediglich, dass Thea in halbwegs kontrollierten finanziellen Verhältnissen lebte und nicht zum Schuldenmachen neigte.

Ich überweise das Geld auf dein Konto, ist das in Ordnung?

Oh, das ist wundervoll, sagte sie, ich danke dir sehr. Bitte verzeih mir die Drängelei, aber kannst du das Geld bitte bald überweisen?

Ja, sagte ich nur.

Vielen vielen Dank, sagte sie, mir ist das alles furchtbar peinlich.

Jetzt kam ich doch ins Nachdenken. Thea war zweiundvierzig Jahre alt. Schon länger als ein halbes Leben ertrug sie ihre schlechten Zähne. Ich verstand nicht, warum sie gerade jetzt, an der Schwelle zum Alter, ihre Zähne erneuern wollte. Ihre Hauptausstrahlungszeit als Frau hatte sie hinter sich, eine Ehe ebenfalls. Die Leute, mit denen sie Umgang hatte, hatten sich an den Anblick ihrer Zähne gewöhnt. Es sei denn, sie wollte noch einmal heiraten und ein paar Schönheitsreparaturen in die Wege leiten. Ich fragte nicht. Wenn sie hätte heiraten wollen, hätte sie längst selbst davon angefangen.

Du bist so still, sagte sie, hoffentlich habe ich dich nicht verstimmt.

Ich war tatsächlich verstimmt, aber ich sagte: Ich bin nur erschöpft.

Soll ich gehen? fragte sie.

Ich schwieg.

Ich bin auch müde, sagte sie, außerdem fühle ich mich schwach nach unserem Gespräch; ich danke dir nochmal, dass du es mir leichtgemacht hast.

Thea nahm ihre Handtasche, verstaute ihre Brille und ihre Papiertaschentücher und erhob sich.

Wir telefonieren, sagte sie.

Ja, sagte ich.

Geh zum Arzt, wenn du dich schlecht fühlst, sagte sie im Stehen.

Mir fehlt nichts, sagte ich, ich bin nur ein bisschen stumm, das kennst du doch von früher.

Sie lächelte und ging.

Ich hatte keine Reichtümer auf der Bank, aber zehntausend Euro konnte ich überweisen. In nächster Zeit plante ich keine größeren Anschaffungen und keine weiten Reisen. Draußen war es Frühabend geworden. Ich wollte ein bisschen Zeitung lesen, nein, ich wollte nicht Zeitung lesen, ich wollte eine Zeitung nur schnell durchblättern und sie dann wieder weglegen, aber es war keine Zeitung in meiner Nähe. Junge Leute trugen in flachen Kartons ihre Pizza nach Hause. Zwei Straßenalkoholiker traten nach ein paar Tauben. Ich fragte mich jetzt doch, ob es nicht leichtsinnig war, Thea so viel Geld zu leihen. Es stimmte, dass sie im großen und ganzen keine Finanzprobleme hatte, aber es stimmte nicht ganz und nicht immer. Ihre zuweilen lockere Hand in Geldangelegenheiten war sogar einer der Gründe gewesen, warum es mit unserem Zusammenleben nicht geklappt hatte. Ich saß still da und machte mir ebenso stille Vorhaltungen. Eigentlich war *ich* es, der seine Finanzen nicht zusammenhalten konnte. Jemanden, der ohne schriftliche Fixierung zehntausend Euro auslieh, musste auch ich leichtsinnig nennen. Seit kurzem saßen zwei Frauen an einem Tisch in der Nähe und redeten. Eine der Frauen öffnete zum dritten Mal den Klettverschluss ihrer Tasche und schloss ihn wieder. Das Geräusch des Klettverschlusses würde mich bald vertreiben; aber wohin? Ich musste eigentlich arbeiten, aber ich wollte nicht nach Hause. In einiger Entfernung hörte ich das Gedudel eines Jahrmarkts. Ein Mann legte seine Krawatte ab, faltete sie sorgfältig zusammen und verstaute sie in seiner Aktentasche. Eine verwirrte Frau ging vorüber, das heißt, sie blieb alle zwei bis drei Meter stehen, drehte sich um und schimpfte in die Richtung, aus der sie gekommen war. Obwohl ich nicht geschlafen hatte, hatte ich Schlafgeschmack im Mund. Ein Mann erschien, faltete einen Klappstuhl aus, setzte sich, legte sich ein paar Zeitungen auf die Knie und rief: Die Obdachlosenzeitung! Die Obdachlosenzeitung! Außer mir achtete niemand auf ihn. Ich fand es außerordentlich, dass es jetzt eine Zeitung für Obdachlose gab. Ich wollte wissen, welche Nachrichten es nur für Obdachlose gab, nein, ich wollte es nicht wissen. Ich war absichtlich in dem Café sitzen geblieben, weil ich heute nicht mehr viel erleben wollte. Gab es auch eine Zeitung für Erlebnisüberdrüssige? Die hätte ich mir sofort gekauft. Ich musste mich hüten vor zu viel überflüssigen Erlebnissen. Die Hälfte dessen, was ich erlebte, wäre für mich ausreichend gewesen. Aber ich konnte oft nicht schnell genug erkennen, welches Erlebnis entbehrlich war und welches nicht. Mein Hauptanliegen war die allgemeine Lebensersparnis. Um leblose Erlebnisse kam ich am besten herum, wenn ich still irgendwo saß, ein Haus oder eine Wand anschaute und dabei, zum Beispiel, dem kindischen Lärm eines fernen Rummelplatzes zuhörte.

Es zeichnete sich ab, dass ich in Kürze aufstehen und tatsächlich auf den Rummelplatz gehen würde. Unterschwellig fürchtete ich mich schon jetzt vor dem nächsten Restaurantbesuch mit Maria. Sie hatte ein afrikanisches Lokal entdeckt, in dem die Leute mit den Fingern aßen. Man sitzt auf dem Boden, hatte Maria gesagt, man hat mehrere Schüsseln mit verschiedenen Sachen vor sich stehen und holt sich mit den Fingern heraus, was man essen will. Ich hatte nicht den Mut, gleich klipp und klar zu sagen: Ich will nicht mit Fingern essen, und ich will während des Essens nicht auf dem Boden sitzen. Ich sehnte mich nach einer Frau, die weniger erleben wollte. Eine solche Frau (das war mein Eindruck) war praktisch unauffindbar. Maria wollte fast täglich etwas erleben, nach Möglichkeit etwas Neues und Extravagantes, wovon sie dann ihren Kollegen im Büro erzählen konnte. Was ich dagegen anbot, war nur selten geeignet, bei ihren Kollegen weitererzählt zu werden. Einmal hatte ich Maria darauf aufmerksam gemacht, wie Krähen vom Boden abheben und wie anmutig und zugleich erschöpft vom vielen Auffliegen die Krallen der Krähen während der Abflugphase nach unten hängen und wie sie dabei ein ausdrucksstarkes Sinnbild für das ewige Sich-herumschleppen aller Lebewesen abgaben. Von Maria kam darauf keine Reaktion. Nichts! Es war mir klar, dass sie schwieg, weil sie mich nicht kränken wollte. Mit herunterhängenden Krallen abfliegender Krähen war Maria nicht zu beeindrucken. In diesen Augenblicken eroberte mich meine Hauptbeklemmung: Ich kannte keine wirklich zu mir passenden Menschen. Damit war leider auch Thea gemeint. Die versuchte Wiederbelebung einer abgesunkenen Ehe durch einen Pump war ein besonders ungeeigneter Versuch. Genau das hätte ich Thea sagen müssen. Aber leider steckte ich gerade wieder in meinem eigenen inneren Oratorium, aus dem ich nur noch selten hervortrat. Im Gegenteil, ich geriet allmählich an den Rand einer weitreichenden Untätigkeit, die sogar das Sprechen einschloss.

Ich winkte die Bedienung herbei, zahlte mit abgewandtem Gesicht, erhob mich und ging in Richtung Rummelplatz davon. Diese Einfallslosigkeit hätte mich alarmieren müssen. Seit meinem achten Lebensjahr ging ich, wenn mein Leben ins Stottern und Stolpern geriet, auf den Rummelplatz. Dabei half mir, dass ich immer noch, sogar vor mir selber, mit meiner unglücklichen Kindheit angab. Ich schätzte dieses Kindheitserinnerungsgehabe schon lange nicht mehr, aber die Erfolge der Unglücksangeberei mit der Kindheit waren immer noch gut. Die dumme Musik und der Vergnügungslärm auf dem Rummelplatz machten mich stumm, brachten mich aber in Übereinstimmung mit mir selber. Schon gefiel mir eine tiefschwarze Amsel, die auf dem Dach eines hellgelben Postautos saß. Ich nahm mir vor, Thea am Abend anzurufen und meine Zusage rückgängig zu machen. Das würde sie irritieren, so etwas war sie von mir nicht gewöhnt. Ich hörte sie schon ausrufen: Was ist bloß in dich gefahren!? Dann würde ich antworten: Gar nichts ist in mich gefahren, ich will bloß nicht länger dein missbrauchter Nothelfer sein. Was? würde sie entsetzt ausrufen. Ja, würde ich eiskalt antworten, man denkt so lange das Unmögliche, bis man es eines Tages aussprechen kann.

Ich betrachtete zwei ältere Hausfrauen, die vor einer kleinen Gruppe von Rockmusikern standen und ihre Körper rhythmisch bewegen wollten. Die Frauen waren betrunken und bemerkten nicht, dass die Rockmusiker über sie lachten. Ein junger Mann hob eine halbe Zeitungsseite vom Boden auf und begann gehend zu lesen. Behinderte wurden in ihren Rollstühlen halb liegend und halb sitzend mit offenem Mund über das Gelände geschoben und starrten in den Himmel. Obwohl ich erst seit zehn Minuten hier war, wurde ich schon zum zweiten Mal angebettelt. Ich strengte mich an, die voraussichtlichen Bettler von weitem zu erkennen und ihnen auszuweichen. Als ich ein Schuljunge war, gab es auf den Rummelplätzen kleine Holzgatter, in denen ein Esel oder ein Pony herumstand, manchmal auch ein Kamel. Mehr gab es damals nicht zu sehen. Jetzt ging ich an lärmenden Fahrgeschäften und halb verlassenen Losbuden vorbei. An einem Schießstand hing ein Plakat mit der Aufschrift: Am Sonntag um 21.00 Uhr großes Abschlussfeuerwerk. Ich spielte eine Weile mit dem Wort Abschlussfeuerwerk herum und stieß dabei auf die Worte Ausschussfeuerwerk, Arbeitslosenfeuerwerk, Arschlochfeuerwerk. Ein grüner Luftballon rollte von einer Losbude auf den Weg herunter und wurde vom Wind weitergetrieben. Eine tote Maus lag neben dem Eingang eines Pissoirs. Aus Versehen stieß ich mit dem rechten Bein gegen die halbvolle Plastiktüte einer Hausfrau und entschuldigte mich. Der ledrige, faltige Hals der Frau erinnerte mich an den ähnlichen Hals meiner Mutter. Gegen meinen Willen verharrten meine Gedanken lange bei ihr. Als Kind hatte ich ihre Stummheit nachgeahmt und wäre ihr fast erlegen. Ich saß oft bei ihr und lernte den Mund zu halten, obwohl ich reden wollte. Eigentlich ist das Volk deprimiert, dachte ich jetzt und musste über den Satz lachen. Ich erinnerte mich an einen Abend bei uns zu Hause, als ich mit meinen Eltern am Tisch saß und plötzlich dachte: Schau dir diese beiden Leute an, die sich einbilden, deine Eltern zu sein. Jetzt erkannte ich in diesem Satz einen frühen Höhepunkt meiner Distanz, die ich damals nicht bemerkt hatte. Ich strengte mich an, nicht länger an meine Eltern zu denken, aber es gelang mir nicht. Vermutlich hing der Erinnerungszwang mit dem Rummelplatz zusammen. Obwohl er das Gegenteil versprach, war der Rummelplatz in Wahrheit ein Volksdepressionsplatz. Erst dieses Wort half mir, den Rummelplatz zu verlassen.

Am Frühabend kam Maria vorbei. Sie stöhnte und seufzte, aber sie schien guter Laune zu sein. Sie stellte zwei volle Plastiktüten zwischen Stuhl und Tisch ab und setzte sich.

Schau, was ich dir mitgebracht habe, sagte sie.

Sie holte einen, nein, zwei Beutel mit Unterwäsche aus ihren Plastiktüten heraus und entfernte die Verpackungen.

Habe ich immer noch nicht genug Unterhosen?

Unterhosen kann man nie genug haben, sagte sie.

Daraufhin schwieg ich.

Maria breitete alles aus, was sie für sich und mich gekauft hatte. Zum Schluss holte sie einen Umschlag aus ihrer Handtasche und legte ihn neben die Unterhosen. Da ich schwieg, fragte sie: Bist du nicht neugierig?

Es geht, sagte ich.

Sie öffnete den Umschlag und holte zwei querformatige Flugtickets heraus.

Ich habe zwei Wochen Gran Canaria für uns gebucht, sagte sie und lachte mich an.

Ich schwieg weiter.

Du bist urlaubsbedürftig, sagte sie; du bist überarbeitet, und weil du nichts tust, habe ich gehandelt.

Sie machte ein merkwürdig stolzes Gesicht.

Dann sagte ich: Du hast recht, ich bin überarbeitet, ich bin urlaubsreif, aber ich fahre nicht in Urlaub. Vierzehn Tage Gran Canaria, da werde ich kreuzunglücklich.

Im Gegenteil! sagte sie; du wirst dich erholen, du wirst dir Meeresfrüchte servieren lassen und guten spanischen Rotwein trinken.

Ich fahre nicht in Urlaub, sagte ich.

Mein Gott, bist du störrisch, was hast du denn gegen Urlaub?

Ich habe nichts gegen Urlaub, ich habe nur etwas gegen die Leute, mit denen man im Urlaub zusammensein muss.

Mit denen bist du auch hier zusammen, sagte Maria.

Du täuschst dich. Ich achte sehr darauf, dass ich Menschen, die nicht zu mir passen, aus dem Weg gehe.

Was stört dich an den Urlaubern?

Mein Gott, fast alles.

Was zum Beispiel?

Es geht schon los am Flughafen, sagte ich; plötzlich sitzt man mit einer Bande von pseudolustigen, enthemmten Spießern zusammen, viele von ihnen machen schon in der Abflughalle die Cognacflasche auf. Dann kriege ich das Gefühl: Du bist in einem netten Urlauber-KZ gelandet.

Das stimmt, gab Maria überraschend zu.

Sie schwieg. Möglicherweise wusste sie nicht, was sie jetzt noch *für* den Urlaub sagen sollte. Dann sagte sie: Und was soll jetzt geschehen?

Geh zum Reisebüro und gib einen Flugschein zurück.

Ich soll alleine fliegen?

Ist das so schlimm?

Das mach ich nicht. Eine Frau allein im Urlaub wird ununterbrochen angemacht, das ist widerlich.

Dann nimm deine Mutter mit.

Meine Mutter? Du bist sadistisch.

An diesem Punkt erlahmte das Urlaubsgespräch. Ich überlegte, welches Ersatzangebot ich machen konnte, aber mir fiel auch nichts ein. Maria steckte die Tickets weg. Ich fürchtete, dass vielleicht unsere erste Krise ausbrechen würde. Ich holte aus dem Kühlschrank zwei Piccolos, aber Maria wollte jetzt nicht trinken. Mir fiel zu spät ein, dass es besser gewesen wäre, wenn auch ich verzichtet hätte. Statt dessen stand wenig später ein einzelnes Glas Sekt inmitten von neuen Unterhosen und Unterhemden. Es war ein sonderbares Bild, dessen Merkwürdigkeit mich beschäftigte. Mir fiel nicht einmal auf, dass ich das Arrangement zu lange anstarrte. Plötzlich erhob sich Maria und verabschiedete sich. Drei Tage später sagte sie mir, dass sie die Urlaubstickets zurückgegeben hatte.

5

ANFANGS HATTE ICH KEIN gutes Gefühl. Üblicherweise konnte ich auch dann normal sprechen, wenn ich zum ersten Mal auf fremde Menschen traf. Aber es gab Tage, an denen mir vollständige Sätze kaum gelingen wollten, wenn ich mich in einer neuen Umgebung bewegte. Die paar Mitteilungen, die ich über mein Leben zu machen bereit war, lagen mir dann wie teigige Klümpchen auf der Zunge und regten sich kaum. Ich hatte nicht mit diesem Andrang neuer Gesichter gerechnet. Ich verstand nicht, was Karin bewogen haben mochte, sich so viele Gäste ins Haus zu laden. Ich hatte lange geschwankt, ob ich überhaupt erscheinen sollte. Aber ich war zu sehr darauf fixiert, irgendwelche Neuigkeiten aus dem Hause Erlenbach & Wächter zu erfahren. Es konnte auch geschehen, dass sie mich ausbooteten, aber damit rechnete ich nicht. Ich stellte es mir am einfachsten vor, wenn ich sofort auf Karin zusteuerte und sie ein bisschen überschwenglich begrüßte. Tatsächlich fühlte ich mich schon nach dem ersten Aufeinandertreffen leichter. Karin lachte körperlich. Der Lachreiz durchquerte ihren Brustkorb und stieg dann hoch ins Gesicht. Karin fragte, wo ich die letzten Tage gewesen sei, sie hatte mehrfach vergeblich bei mir angerufen. Nach dieser Eröffnung betrat ich das Gebiet meiner zärtlichen kleinen Lügen. Sie waren klein und zärtlich, weil sie unerheblich und sinnlos waren, aber trotz ihrer Dümmlichkeit nicht verschwanden. Ich sagte, ich war drei Tage in München, um an neue Aufträge heranzukommen. Aber das musst du doch nicht, sagte Karin, Erlenbach lässt dich nicht hängen. Ich blickte bedeutsam ins Leere und schwieg. Drei Männer drängten zu den Weingläsern auf dem Tablett einer Bedienung und schoben mich zur Seite. An der hinteren Stirnwand war ein Buffet aufgebaut. Erlenbach hatte ich noch nicht gesehen. Karin würde das Buffet in Kürze freigeben. Sie machte mich mit einem SPD-Landtagsabgeordneten bekannt, einem blassen Anwalt, der mir seine ebenfalls blasse Ehefrau vorstellte. Vermutlich war der SPD-Mann eingeladen worden, weil Erlenbach & Wächter schon länger auf einen Bauauftrag spekulierten. Die Leute griffen nach Besteck und Tellern und reihten sich hintereinander auf. Ausnahmsweise tat ich nicht so, als hätte ich viel Zeit und keinen Hunger. Ich nahm mir eine Portion Spaghettini mit Trüffeln, drei Crevetten und Spinat. Eine Ehefrau sagte zu ihrem Mann: Du hast die Vorspeise übergangen! Du fängst immer gleich mit der Hauptspeise an! Der Ehemann reagierte nicht; er senkte den Kopf ein wenig tiefer und litt stumm in seinen Teller hinein. Im stillen lobte ich mein Alleinsein. Die Einsamkeit war angenehm, weil sie von Enthüllungen begleitet wurde, die ohne sie nicht möglich wären. Ich hatte nicht einmal bemerkt, dass es Vor- und Hauptspeisen gab. Ich nahm mir ein weiteres Glas Wein und stellte mich vor ein Nacktfoto von Karin, das auf einem Bücherregal stand. Wenn Michael Autz noch gelebt hätte, hätte ich mir die Betrachtung des Fotos nicht erlaubt. Es war zu sehen, dass Karin nie ein Kind bekommen und deswegen nie eines gestillt hatte. Ihre Brustwarzen waren klein und fest geblieben und saßen hübsch auf den nicht übertrieben großen, tatsächlich leicht eingesunkenen Brüsten.

Die Leute aßen schnell und lachten viel. Es erstaunte mich, wie wenig Michael Autz hier vermisst wurde. Ich fragte mich, ob Autz damit gerechnet hatte, dass eines Tages ein Kollege vor dem Bild seiner Frau stehenbleiben würde. Ich hörte, wie Erlenbach den Satz sagte: Es geht nicht um Betrügereien, es geht um Melancholie. Ich wollte weder über das eine noch über das andere reden müssen und verdrückte mich in die Küche. Ich litt ein wenig unter Einsamkeit beziehungsweise innerer Bodenlosigkeit. In der Küche standen zwei sehr gut angezogene Frauen und aßen Gurkensalat. Ich hatte das Gefühl, man werde mich vor die Tür setzen, wenn ich nicht auch bald eine Posse über das lächerliche Menschenleben beisteuerte. Am liebsten hätte ich die beiden Frauen gefragt: Haben Sie sich wirklich so schick gemacht, um am Abend Gurkensalat zu essen? Vermutlich ahnten die Frauen meine innere Respektlosigkeit. Sie verließen die Küche mit ihren Tellerchen, ich folgte ihnen mit einem Schälchen Obstsalat. Leider ahnte ich, dass die Stunde meiner Nichtauthentizität bald anbrechen würde. Dann würde ich etwas halb Erfundenes erzählen, was ich noch während des Erzählens bereute. Aber die Erzählung würde schnell aus meinem Mund herauskommen und die Leute erstaunen und unterhalten. Dann hätte ich meinen Teil zum Gelingen des Abends beigetragen und dürfte wieder stumm sein.

Ich gehe davon aus, sagte Erlenbach im Flur, dass so gut wie alle Menschen Melancholiker sind.

Wirklich fast alle? fragte eine Frau.

Die Melancholie ist der Grund, dass so viele Menschen Lust auf abweichendes Verhalten haben, sagte Erlenbach.

Ich nicht, sagte die Frau.

In der Abweichung kann sich die Melancholie ausdrükken, das ist es, sagte Erlenbach.

Bei mir ist das völlig anders, sagte die Frau und kicherte.

Das wichtigtuerische Gerede von Erlenbach stieß mich ab. Ich verließ den Flur und suchte die Tür zu einem anderen Zimmer. Dort beobachtete ich ein sich umarmendes Paar. Die Frau fuhr mit der Hand den Rücken des Mannes hoch und legte ihre Hand dann auf seiner Schulter ab. Er rutschte mit der Hand ihren Rücken hinunter und knutschte ihren Po. Wenn es mir gelungen wäre, jetzt schon zu gehen, hätte ich ruhiger sein können. Ich geriet in die Nähe der anderen Frau, die mit ihrem Gurkensalat immer noch nicht fertig war. Sie stand in einem Kreis von drei Personen, die über die Unmöglichkeit ihrer früheren Ehen redeten. Mit diesem Thema fühlte ich mich fast zwangsverheiratet und blieb stehen. Es erstaunte mich, dass die Leute über ihre früheren Ehen heute nur noch lachen konnten. Bald sahen die Leute mich an, weil sie auch von mir eine Lachnummer über eine frühere Ehe erwarteten. Ich war offenbar eine Ausnahme, da ich unter meiner Ehe mit Thea noch heute litt. Ich verdrückte mich wieder hinaus auf den Flur. Dort nahm ich mir erneut übel, dass ich Thea einmal geheiratet hatte. Es hatte Warnzeichen vor dieser Ehe gegeben, die ich zwar bemerkt, aber nicht ernst genommen hatte, weil ich zu jung oder zu ahnungslos oder zu verliebt war. Ich hatte mich damals nicht gescheut, zu Thea bei mehreren Gelegenheiten sogar: Ich liebe dich zu sagen. Thea sah mich misstrauisch bis abschätzig an und sagte nach meinem dritten oder vierten Geständnis: Das ist ein Klischee.

Daraufhin sagte ich nichts mehr in dieser Richtung, bewunderte Thea aber noch mehr wegen ihrer Sprachskepsis und ihres Mutes. Ich bewunderte sie, weil sie eine junge Intellektuelle war, und als solche war sie mir weit voraus. Ich wollte selbst ein Intellektueller werden und nahm Theas Kritik eher sportlich. Erst sehr viel später fiel mir ein Gegenargument ein. Wenn das Liebesgeständnis ein Klischee ist, hätte ich sagen können, dann ist auch die Liebe selbst ein Klischee, und das kann doch wohl nicht sein. Aber es fand sich keine Gelegenheit mehr, mein Gegenargument auszusprechen. Ich war damals weder schlagfertig noch frech. Thea studierte damals Germanistik und Philosophie und wusste stets, was sie sagen könnte, jedenfalls glaubte sie das. Ich bereitete mich auf den Beruf des Architekten vor, von dem ich damals schon glaubte, dass er von zu vielen Menschen ausgeübt wurde – und litt deswegen an einer gewissen Minderwertigkeit. Erlenbach löste sich von seinen Gesprächspartnern und kam auf mich zu.

Ich such Sie schon die ganze Zeit, sagte er.

Oh, machte ich und erschrak leicht.

Keine Angst, sagte Erlenbach, ich will Sie nur auf einen kommenden Auftrag vorbereiten. Sie haben doch schon an der Statik der Hängebrücke mitgewirkt, nicht?

Ja.

Haben Sie an so etwas noch Interesse?

Ja, immer, sagte ich.

Einen solchen Auftrag kriegen wir nicht alle Tage.

Ich auch nicht, antwortete ich.

Erlenbach lachte.

Zu gegebener Zeit erfahren Sie mehr, sagte er, ich wollte nur mal ein Zeichen geben.

Oh, nett, vielen Dank, stieß ich hervor.

Erlenbach schob sich wieder unter die Leute. Ich versuchte, über Erlenbachs merkwürdigen Vorstoß nachzudenken, ohne Ergebnis. Karin zündete die Kerzen auf den Kerzenständern an und dimmte das elektrische Licht herunter. Natürlich hatte ich das Gefühl, dass damit auch mir selbst der Strom abgestellt wurde. In Zimmern mit nicht ausreichendem Licht übermannte mich rasch die Müdigkeit. Gleichzeitig war ich plötzlich sicher, dass Karin und ich seit langer Zeit auf den Tod von Michael gewartet hatten. Vermutlich hatten die anderen unsere wechselseitige Fixierung längst bemerkt und warteten, ob etwas passierte. Vermutlich wäre es besser gewesen, wenn ich nach Hause gegangen und Karin von dort angerufen hätte. Wenn wir flugfähige Tiere gewesen wären, hätten wir dann und wann mit den Flügeln schlagen können. Aber wir waren Menschen und verhielten uns, trotz aller Offenheit, verhüllend. Karin kam auf mich zu und fragte, ob ich sie nächster Tage zu einem Arzttermin in die Nähe von Wiesbaden fahren könne.

Ich war verdutzt, sagte aber zu.

Weißt du schon den Tag?

Vermutlich am Mittwoch, sagte Karin.

Ich stell mich darauf ein, antwortete ich.

Ich wusste von Michael, dass Karin dann und wann eine auswärtige Klinik besuchen musste. Als Michael noch lebte, fuhr er sie hin und nörgelte darüber im Büro. Karin hatte selbst einen Führerschein, fuhr aber nicht mehr gerne. Das Auto hatte sich ihr entfremdet oder der Verkehr erfüllte sie mit Angst oder was auch immer, sie wusste es selbst nicht genau. Für ihren stets auf Rationalität bedachten Ehemann war diese Ungenauigkeit nicht leicht zu ertragen. Eine kleine Frau trug einen Stapel weißer Teller durch den Raum. Offenbar wurde gleich eine Leckerei für den mittleren Abend serviert. Meine Augenbrauen juckten. Ich wollte immer noch gerne nach Hause, aber ich fürchtete den Eindruck der Unhöflichkeit. Ich trieb mich vor der Bücherwand herum und las die Titel. Nach kurzer Zeit erschien Karin neben mir und fragte, ob sie mir etwas zu trinken bringen könne. Ich hatte genug getrunken und antwortete ausweichend.

Du kannst von den Büchern haben, was du willst, sagte sie.

Oh, machte ich.

Die meisten Bücher besaß ich selbst. Es waren die repräsentativen Titel der siebziger und achtziger Jahre. Das dritte Buch über Achim von Uwe Johnson, Stiller von Max Frisch, Ansichten eines Clowns von Heinrich Böll. Dazwischen vieles, was ich nicht kannte. Ich zog je einen Roman von Janet Frame und August Strindberg heraus und sagte zu Karin: Die beiden hätte ich gern.

Oh! rief Karin aus, *die* bitte nicht! Die hat mir Michael für unseren allerersten Urlaub gekauft!

Ach so, machte ich.

Verzeihung, sagte Karin, ich hätte es sagen sollen.

Ich schob die beiden Bücher in das Regal zurück.

Es macht überhaupt nichts, sagte ich.

Es machte tatsächlich nichts, aber ich war dennoch ein wenig verstimmt. Die kleine Verärgerung half mir, meinen Entschluss zum Weggehen deutlicher zu empfinden. Nach jedem durchlebten Tag wurden meine Augen am Abend ein wenig kleiner. Nur morgens, nach dem Aufstehen, waren sie groß und aufmerksam. Aber schon um die Mittagszeit waren sie enger und grauer, und am Abend waren sie so klein und schmal, dass sie zu meinem großen Kopf eigentlich nicht mehr passten. Ich ging kurz ins Badezimmer und sah im Spiegel, dass mein linkes Augenlid ein bisschen zitterte. Ich sehnte mich nach Marias Brust und Blick; von beidem, Brust und Blick, ging Wohlwollen für mich aus. Ich war dieses Wohlwollens plötzlich bedürftig. Ich plante oberflächlich, später noch Maria zu besuchen. Allerdings hätte ich dann lang und unwillig erklären müssen, wo ich den Tag bis dahin verbracht hatte und wer Karin war. Danach hätte ich noch widerborstiger erklären müssen, dass ich kleine Teile meines Lebens wortlos für mich allein reserviert haben wollte, obgleich diesen reservierten Teilen nichts Verbotenes anhaftete. Ich war diesen sinnlosen kleinen Kompliziertheiten im Grunde nicht gewachsen. Schon spürte ich in meiner Brust den Knoten, den diese Verwicklungen hervorbrachten. Sofort fragte ich mich, ob dieser Knoten der Anfang einer größeren Krankheit sein könnte. Ach was, Abendgespenster, sonst nichts. Ich nahm meinen Schirm und verabschiedete mich von Karin.

Bist du schlechter Laune?

Nicht im mindesten, sagte ich.

Du kannst noch viele andere Bücher haben, wenn du willst, sagte sie freundlich.

Ja, danke, sagte ich, ich werde mal nachmittags kommen und viel Zeit mitbringen.

Dann war ich draußen. Obwohl es schon nach zehn Uhr geworden war, wurde ich auf der Straße angebettelt. Ich war ungehalten und wies den Bettler ab. Eine Frau hatte meine Abfertigung mitgehört und schimpfte über die Grobheit der Wohlhabenden. Ich überlegte tatsächlich, ob ich der Frau erklären sollte, dass die Abweisung das letzte Glied eines kompliziert zusammengebauten Gemütszustandes war und dass ich ... ach was, ich erklärte gar nichts. Ich wollte nicht in meine Wohnung, obgleich ich nicht die geringste Ahnung hatte, was ich jetzt anstellen

sollte. Es gefiel mir eine im Wind schaukelnde Straßen-
lampe. Ich fragte mich, ob das Moment der Verlassenheit
vom Schaukeln des Lampenschirms oder von der Höhe der
Lichtquelle ausging. Nur wenige Autos fuhren in großen
Abständen über die Brücke. Kurz bevor ich den Main
überquerte, betrat ich linker Hand eine schwarz ausge-
malte Bar. In einer Ecke war ein Fernsehapparat eingeschaltet. Gezeigt wurde der Start einer US-Rakete, dazu
Musik von Santana. Über der Theke hing ein Schild mit
der Aufschrift: Bedienerin und Abwäscherin, mit Papieren,
sofort gesucht. Ein erwachsener Mann rollte auf einem
Kinderroller an mir vorbei hinaus auf die Straße. Ich hatte
die Theke noch nicht erreicht, da näherte sich mir ein
Mann und hielt mir ein kleines Schild mit diesem Text
vor das Gesicht: Meine Ehefrau braucht dringend eine
Knochenmarktransplantation, die zwanzigtausend Euro
kostet. Bitte unterstützen Sie uns. Mit einem geseufzten
Ach ja drehte ich mich um und verließ die Bar. Ich wollte
immer noch nicht nach Hause. In der Nähe des Schauspiel-
hauses kannte ich vom Sehen einen Obdachlosen, der in
einem großen Karton lebte. Der Karton war in der Regel
nach vorn geöffnet und stand auf einem Sockel innerhalb
einer Garageneinfahrt, so dass die Behausung vor Regen
geschützt war. Dort saß der Mann tagsüber mit angezoge-
nen Knien und sah auf die Straße. Kurz vor der Brücke
kam ich am hell erleuchteten Schaufenster einer Schokola-
den-Boutique vorbei. Ich nahm mir vor, demnächst bei Tageslicht hier vorbeizuschauen und für Maria eine Tüte mit
Schokolade zu kaufen. Der Obdachlose war anwesend, er
hatte sich schlafen gelegt und das vordere Kartonstück
heruntergeklappt. Ich sah von ihm nur die Schuhe und
Strümpfe seiner beiden Füße, die aus dem Karton heraus-

schauten. Der Anblick der Schuhe und Strümpfe erschütterte mich. Durch unentwegten Anblick des Autoverkehrs, hoffte ich, würde sich die Erschütterung langsam auflösen. Das klappte manchmal, manchmal auch nicht. Ein paar Sekunden später erschrak ich noch einmal und sogar stärker. Aus dem nahen Theater trat meine leider von mir geschiedene Ehefrau Thea in Begleitung ihrer Freundin Susanne hervor. Thea kam auf mich zu und fragte mich in der mir vertrauten Weise: Hallo! Was machst du? Wie stehts mit deiner Gesundheit? Warum treibst du dich nachts hier in der Gegend herum? Wie stehts mit der Liebe? Hast du genügend Aufträge? Oder bist du inzwischen pleite?

Aber nicht diese Fragen waren es, was mich schwächte. Sondern der Anblick ihres mich verstörenden Gesichts. Thea hatte sich inzwischen neue Zähne einsetzen lassen und dadurch der unteren Hälfte ihres Gesichts eine neue, andere Form gegeben. Ich starrte wortlos auf ihren jetzt pferdeartig vorgewölbten Mund. Als ich noch mit Thea zusammengelebt hatte, waren ihre schief zueinander stehenden und teilweise nicht voll ausgewachsenen Zähne so etwas wie ein zärtlicher Mangel gewesen. Wann immer sie lachte, hob sie ihre kleine rechte Hand vor den Mund, damit niemand ihre Defekte sah. Jetzt sprach und lachte sie und wusste offenbar nicht, dass jeder, der sie mit ihren Naturzähnen kannte, erschrocken sein musste über diese Veränderung. Wie in alten Zeiten wollte ich sofort Streit mit ihr anfangen: Wie konntest du so etwas tun? Weißt du nicht, dass die Künstlichkeit deines Kiefers jeden fassungslos machen muss? Hast du kein Stilgefühl dafür, dass dein schmales Gesicht eine so wuchtige Mundpartie nicht verträgt?

Ich stellte mir vor, dass ich sie jetzt nie mehr würde küssen können. Thea und Susanne redeten jetzt über das

Theaterstück, das sie gerade gesehen hatten, ich blieb stumm. Die beiden Frauen fragten nicht, wo ich war und wo ich hinwollte. Nach einigen Minuten begann ich, meinen Körper langsam wie zum Weitergehen wegzuschieben. Thea verstand das Signal und verkürzte seinen Ablauf, indem sie ausrief: Tschüss dann! Lass dich nicht mit dirty women ein!

Thea und Susanne verschwanden kichernd. Auch die anderen Leute, die aus dem Theater gekommen waren, sah ich nicht mehr. Hinter mir befand sich das Schaufenster eines Lampengeschäfts. Ich schaute ein paar Lampen an, obwohl ich keine Lampen brauchte und keine kaufen würde. Auf dem jetzt leeren Platz vor dem Theater landete eine große Krähe. Sie hatte von weit oben einen verlorenen Babyschnuller liegen sehen und ihn vermutlich für etwas Essbares gehalten. Jetzt hackte der Vogel auf dem Plastikding herum und schleuderte es durch die Gegend. Es dauerte fast vier Minuten, bis die Krähe akzeptierte, dass der Schnuller nicht essbar war. Eindrucksvoll resigniert entfaltete sie ihre Schwingen, erhob sich und verschwand zwischen den Fassaden. Ich ging an heruntergekommenen Grünanlagen vorbei, deren Ärmlichkeit mich schon lange nicht mehr berührte. Es erstaunte mich, dass ich mit vielen Menschen und Dingen, die ich eigentlich unerträglich fand, im großen und ganzen einvernehmlich zusammenlebte. Im Augenblick wusste ich nicht, ob ich schon ein Individuum war oder erst noch eines werden musste, was ich mir immer noch wünschte.

Vermutlich hing es mit dem Bild des Schnullers zusammen, dass mir jetzt einfiel, wie sehr sich Thea zu Anfang der Ehe ein Kind gewünscht hatte. Nicht, dass ich nicht auch ein Kind hätte haben wollen. Aber ich hatte schon früh das Gefühl, dass das Zusammenleben mit Thea nicht von langer Dauer sein konnte. Ich war damals entsetzt darüber, dass jedes dritte oder vierte Kind entweder bei seiner Mutter oder bei seinem Vater lebte, aber nicht bei seinen Eltern. Es hätte mich innerlich ausgehöhlt, jedesmal mit Thea klären zu müssen, ob ich das Kind bei ihr treffen könne. Trotzdem stellte ich mir vor, dass mein Sohn (meine Tochter) jetzt ungefähr elf Jahre alt wäre und dass ich vermutlich dankbar wäre, ein Kind zu haben. Ich verstand nicht mehr, warum es mir damals so wichtig war, auf jeden Fall eine lang anhaltende Ehe zu führen. Vermutlich war es für ein Kind nicht wichtig, ob sein Vater in x und seine Mutter in y wohnte. Die zurückkehrende Wucht heute nicht mehr verstehbarer Vorbehalte stieg in mir hoch und machte mir ein schlechtes Lebensgefühl. Am schlimmsten war im Augenblick, dass ich heute kein Kind mehr wollte. Die Familie als Lebensform hatte sich aus meiner Existenz entfernt. Momentweise fühlte ich die gewachsene Unklarheit meines Lebens, die ich kaum eine Minute lang aushalten konnte. Ich betrat eine lärmende Bar, von der ich hoffte, dass sie meine innere Finsternis auf der Stelle löschte. Nach einer Weile bemerkte ich, dass mir die Theke bekannt vorkam. Ich dachte: Es ist unmöglich, einer Frau ein Kind zu verweigern. Ich bestellte ein Glas Weißwein, trank es leer und bestellte ein zweites. Die Bedienung sah mich an und fragte: Alles in Ordnung bei Ihnen? Ich antwortete nicht.

6

AN EINEM MITTWOCHMORGEN fuhr ich Karin in die Klinik. Die Autobahn war ruhig, und Karin erklärte mir, wie ich fahren sollte. Ein Problem war, dass ich den Druck verspürte, Karin unterhalten zu müssen, und dass mir kein Thema zum Plaudern einfiel. Einmal überquerten zwei Schwäne in geringer Höhe die Autobahn. Zwei Schwäne! rief ich dankbar. Wo kommen die denn her? Diese riesigen ungeschickten Tiere! Karin lachte kurz, dann war das Thema erledigt. Ich kam nicht auf den Gedanken, dass Karin wegen der bevorstehenden Untersuchung besorgt und in ein natürliches Schweigen versunken sein könnte. Einmal, in Höhe von Flörsheim, fiel mir eine Krankengeschichte aus meiner Jugendzeit ein, die sich zum Erzählen aber gerade nicht eignete. Es war gar keine Geschichte, sondern nur eine Erinnerung. Mein Vater lag sterbenskrank in einer Klinik, in der er wenige Tage später auch starb. Es kostete mich Mühe, ihn zu besuchen. Um mir den Weg zu erleichtern, kaufte ich mir ein Pfund Trauben, die ich unterwegs aufaß. Mein Vater wurde zu diesem Zeitpunkt schon künstlich ernährt. Es hatte keinen Sinn mehr, ihm Obst, Schokolade oder sonst etwas mitzubringen. Er öffnete gelegentlich die ein wenig verklebten Augen und sagte dann und wann einen halben Satz. Als ich neben seinem Bett saß, erkannte er mich nicht mehr. Einmal sah er einen Henkel Trauben auf dem Nachttisch seines Nebenmannes und sagte eine halbe Minute später: O diese herrlichen Trauben. Daraufhin sagte ich tatsächlich: Ja, da hast du ganz recht, die Trauben waren herrlich! Wegen dieses grauenhaften Satzes fürchtete ich momentweise, ebenfalls bald sterben zu müssen. Ich geriet in eine innere Gespensterei, die erst endete, als ich aufstand und das Krankenhaus verließ.

Karin trug ein elegantes graues Kostüm und eine schwarze Handtasche. Nach etwa einer Dreiviertelstunde, kurz vor Wiesbaden, hieß mich Karin, nach rechts abzuzweigen. Nach kurzer Fahrt erreichten wir einen großen Parkplatz. Karin zeigte mir, ehe sie ging, eine klinikeigene Cafeteria, die ich später auch aufsuchte, allerdings nur kurz, weil sie überhell ausgeleuchtet war, was mich störte. Ich beobachtete kurz ein Kind, das weinte und schrie und um sich schlug und zugleich auch noch sprechen wollte. So ungefähr könnte ich gewesen sein, dachte ich. Mir gefiel der lauernd-vorsichtige Lebensstil der Parkplatztiere. Ein Eichhörnchen hielt nach drei, vier Sprüngen inne und lauschte in die Umgebung. Zwei Elstern setzten sich auf die Spitze einer Bogenlampe und sahen auf den Parkplatz herunter. Vermutlich arbeitslose junge Männer saßen um zehn Uhr morgens mit Kinderwagen auf den Bänken und schwiegen ihr Kind an. Ein größeres Kind sagte Einchhörnchen. Der Vater verbesserte: Es heißt Eichhörnchen. Ja, Einchhörnchen, sagte das Kind. In dem jetzt leeren Springbrunnenbecken vor dem Eingang der Klinik lief eine einzelne Taube umher und suchte zwischen leeren Pappbechern, Prospekten und Zeitungsfetzen nach Nahrung. Sie schleuderte mit dem Schnabel die Pappbecher um sich, wodurch nicht die Pappbecher, sondern das Tier lächerlich wurde. Ein Mann drückte mit der Faust den Inhalt eines

Abfallbehälters nieder und ging weiter. Kurz danach änderte der Mann seine Laufrichtung, damit er auch an den anderen Abfallkörben vorbeikam, deren Inhalt er ebenfalls mit der Faust zusammendrückte. Dadurch wurde der Mann der Taube ähnlich. Ich wunderte mich nicht, dass ich alle diese Vorgänge betrachtete. Ich war ein moderner, zuweilen konfuser Mann geworden, der seiner Ich-Suche überdrüssig geworden war (das war meine Vermutung) und seine temporäre Verwirrung mehr und mehr annahm. Amselpaare verfolgten einander und zeterten dabei. Eine ältere Küchenhilfe mit weißer Schürze und Kopfhaube trat aus einem Nebenausgang der Klinik hervor. Sie trug zwei Eimer Küchenabfälle zu den großen Müllcontainern am Rande des Parkplatzes. Einige Augenblicke lang drehte sie den Kopf, und dabei erkannte ich sie. Sie hatte in der Mitte der Oberlippe eine Hasenscharte, die zur Nase hochführte. Vor etwa fünfundzwanzig Jahren war sie eine blutjunge Küchenhilfe des Kaufhauses Karstadt gewesen, in dem ich als Schüler einen Ferienjob hatte. Ich saß im Dachgeschoss an einem langen Tisch und klebte Preisschildchen auf Damenstrümpfe. Wenn ich keine Arbeit mehr hatte, musste ich mit dem Fahrstuhl in den Keller fahren und mir einen neuen Karton mit Damenstrümpfen abholen. Die Küchenhilfe (ich habe ihren Namen vergessen, beziehungsweise ich wusste ihn nie) gab im Fahrstuhl meinem Drängen nach und ließ sich anfassen. Eines Nachmittags überschätzte mich die Küchenhilfe. Aufgrund meiner sicheren Detailkenntnis beim Knutschen im Fahrstuhl hatte sie angenommen, dass ich trotz meiner Jugend schon wusste, was zwischen Mann und Frau geschieht. Sie fuhr mit mir hinunter in den Keller und führte mich in einen stillen Winkel, wo wir zwischen hohen Kartons und endlosen Lattenverschlägen allein waren. Sie bot sich mir dar, und ich musste durch Handlungsstockungen einräumen, dass ich an einem bestimmten Punkt nicht weiterwusste. Vermutlich nahm sie an, dass ich mich schämte beziehungsweise durch die merkwürdigen Räumlichkeiten eingeschüchtert war. Sie öffnete mir den Hosenladen und nahm mein erigiertes Glied in die Hand. Sie setzte sich auf einen halbhohen Karton, so dass ich leicht in sie hätte eindringen können, wenn ich gewusst hätte, wie das geht. Am meisten erschrak ich über die tiefen schwarzen Haarbüschel zwischen ihren Beinen. Inmitten des Schamhaars leuchteten die Schamlippen wie zwei kleine rosa Raupen hervor. Verärgert zog die Küchenhilfe ihren Schlüpfer wieder an und ließ mich kommentarlos stehen. Die Abfolge der Sequenzen quälte mich bis heute. Ja, es verlockte mich sogar, wieder mit ihr in einen Keller zu fahren. Erst dann fiel mir ein, dass sie mich vermutlich nicht erkannt und vielleicht an einen Überfall geglaubt hätte. Auch ich hatte nicht ihre Person erkannt, sondern nur ihre Hasenscharte und von dieser aus den Rest mühsam erinnert. Im Auto auf Karin wartend, schämte ich mich. Erst als die Küchenhilfe verschwunden war, verließ ich das Auto, ging ein paar Schritte umher und fragte mich, was los war. Es ist nichts los, sagte ich zu mir, du kannst weiterleben.

Ich fand es nicht bemerkenswert, dass mir kurz danach Maria einfiel. Wenn überhaupt, hätte ich mich *frühzeitig* von ihr trennen müssen. Aber ich konnte mich damals nur dann von einer Frau trennen, wenn die nächste Frau schon in Sicht war. Und weil eine neue Frau lange nicht auftauchte, war ich viel zu lange bei Maria geblieben, weil ich auf keinen Fall ohne Frau leben wollte. Aber jetzt hatte ich das deutliche Gefühl: Karin war die von mir lang erwartete

Frau. Aber jetzt war es noch viel schwieriger geworden, sich von Maria zu lösen. Genaugenommen gab es für eine Trennung niemals den richtigen Zeitpunkt. Eine Trennung musste gegen alle möglichen und unmöglichen Zeitpunkte durchgesetzt werden. So dachte ich zwischen den geparkten Autos hin- und hergehend hilflos vor mich hin. Außerdem gab es für die Annahme, Karin sei die ultimativ richtige Frau, außer meiner Einbildung keinen Hinweis. Wenig später, als Karin guter Laune und zu mir herüberlachend die Klinik verließ, glaubte ich, dass ihr Lachen ein solcher Hinweis sei. Ihre Offenheit und ihr Vergnügtsein hielt ich ebenfalls für Zeichen. Oder schwindelte sie mir etwas vor? Sie warf ihr Blondhaar mal in die eine, dann wieder in die andere Richtung. Ich öffnete die Wagentür, Karin stieg ein und rief aus: Ich bin gesund! Ich bin gesund! Deutlicher wurde sie nicht. Ich vermutete bedrohliche Unterleibsgeschichten, traute mich aber nicht zu fragen. Karin sah blinkend und funkelnd und glücklich umher. Ich hätte sie umarmen und küssen sollen, aber ich scheute mich immer noch, die Frau meines toten Freundes anzufassen. Während der Rückfahrt bot mir Karin an, dass ich ihr Auto auch zur Erledigung meiner Angelegenheiten nutzen dürfe. Als ich sie zu Hause absetzte, überließ sie mir den Autoschlüssel. Ich könne den Wagen in der Nähe meiner Wohnung parken. Beim Abschied beugte sie sich zu mir herüber und küsste mich auf die Wange. Eigentlich wollte ich nie zu den Männern gehören, die aus einer bloßen Bekanntschaft mit einer Frau plötzlich eine intime Geschichte machten. In etwa einem Monat würde ich Karin zur nächsten Kontrolluntersuchung fahren.

Zwei Nachmittage später rief Erlenbachs Sekretärin an und fragte, ob ich noch auf einen Sprung ins Büro kommen könnte. Wegen irgendwelcher Belanglosigkeiten rief mich nach 15.00 Uhr eigentlich niemand mehr an. Ich zog mich um und machte mich auf den Weg. Erlenbach sagte sofort, worum es ging. Er fragte, ob ich die Stelle von Autz übernehmen wolle. Ich tat erst so, als hätte ich nicht richtig verstanden. Sie meinen, ob ich bei Ihnen anfangen will? Ja, das will ich, sagte Erlenbach. Als ich eine Weile nichts sagte, fuhr er fort: Ich weiß, das ist für Sie eine nicht ganz leichte Sache, aber ich will mir später nicht vorwerfen, Sie nie gefragt zu haben.

Vielen Dank für die Einfühlung, sagte ich.

Es gibt auch Sachzwänge, sagte Erlenbach; unser Büro floriert, wir brauchen dringend Verstärkung.

Darf ich mir das bis morgen überlegen?

Ja, gewiss, bis zwölf Uhr, wenn ich bitten darf, antwortete Erlenbach.

Der zweite Halbsatz war der Satz eines Mannes, der plötzlich mein Chef geworden war. Ich verabschiedete mich. Im Fahrstuhl kriegte ich eine enge Kehle. Inzwischen hatte es angefangen zu regnen. Ich fuhr noch einmal hoch ins Büro und lieh mir von der Sekretärin einen Schirm. Es war, als sei auch sie schon lange informiert. Natürlich, sagte sie, einem neuen Kollegen leihen wir gerne einen Schirm. Die Anstellung war (wäre) ein Anschlag auf meine Unabhängigkeit. Aber sie war auch eine Attacke auf mein inneres Freiheitsgefühl, das war viel schlimmer. Ich machte mir viel zu heftige Gedanken. Da war schon wieder einer: Sie erpressen dich mit deiner Lebensangst. Allen Eingeweihten ist bekannt, dass seit Jahren viel zuviel Architekten ausgebildet werden, die sich dann auf dem freien Markt um jeden Tankstellenneubau balgen müssen. Obwohl ich mir nicht bedroht vorkam, würde mich die Anstellung womöglich retten. Deswegen kam mir der Job, falls ich ihn annehmen würde, wie eine Niederlage vor. Meine innere Übertriebenheit ähnelte dem Regen. Ich überlegte, ob ich in einem Lokal Unterschlupf suchen sollte. Eine Frau zog sich eine Plastiktüte über den Kopf und rannte über eine fast leere Straße. Die Regentropfen waren jetzt so groß, dass sie beim Aufplatschen auf der Straße seitlich hochspritzten. Nur weil ich das Schaufenster eines Fischgeschäftes sah, kaufte ich mir einen Rollmops. Das Wort Rollmops hatte mich in meiner Kindheit eine Weile vergnügt. Drei Minuten später erfuhr ich, dass das Fischgeschäft keine Rollmöpse mehr führte.

Haben Sie überhaupt nie Rollmöpse oder sind sie gerade ausverkauft? fragte ich.

Die Verkäuferin war ratlos, vielleicht hatte sie das Wort Rollmops noch nie gehört. War es möglich, dass Rollmöpse für unsere eleganten Städte zu ordinär geworden waren und deshalb abgeschafft werden mussten? Mit oder ohne Rollmops war ich plötzlich in die Welt meiner Kindheit gerutscht, in der es Rollmöpse in Hülle und Fülle gab. Ich war etwa acht Jahre alt, als meine Mutter zu einer Nachbarin sagte, dass ihr Sohn, das heißt ich, ein hochbegabtes Kind sei. Meine Mutter war einfältig beziehungsweise halb verrückt beziehungsweise selber träumerisch hochbegabt, was bei ihr ein und dasselbe war. Anstelle des Wortes hochbegabt verstand ich das Wort hochbetagt, was ich damals ebensowenig verstand wie hochbegabt. Einen Tag später fragte ich meinen Lehrer nach dem Wort. Der Lehrer sagte nur ein Wort und lächelte dazu: alt. Erst jetzt verstand ich, wie weitblickend der Satz meiner Mutter war und wie wohltuend präzise sie ihren Sohn einschätzte. Tatsächlich fühlte ich mich als Achtjähriger alt, erschöpft und von der Welt angewidert. Ich lief (damals wie heute) eng an den Hauswänden entlang, heute mit geliehenem Schirm, sonst war alles wie früher. Ohne zu wissen, wohin ich wollte, ging ich in Richtung Hauptbahnhof. Ein Mann trat mit voller Kraft gegen einen prall gefüllten Müllsack. Der Sack platzte, ein Teil des Mülls fiel auf die Straße. Ich blieb eine Weile stehen und betrachtete das Bild. Nasser Müll sieht erheblich müllartiger aus als trockener Müll. Je länger ich unterwegs war, desto unangenehmer wurde mir die Vorstellung, demnächst bei Erlenbach & Wächter antreten zu müssen. Denn ich führte im großen und ganzen ein Leben, das ich mir so, wie es war, gewünscht hatte, und ich war nicht bereit, nur zur Beschwichtigung meiner Lebensangst ein Angestellter zu werden.

Mit dieser vor mich hingeflüsterten Losung kam ich mir vorerst beschützt vor. In der Nähe des Hauptbahnhofs war eine Demonstration im Gange. Berittene Polizei drückte Abertausende von Jugendlichen in die Nebenstraßen zurück. Ich hatte nicht das geringste Bedürfnis, Teil einer Demonstration zu sein und von Polizeipferden bedrängt zu werden. Eines der gerade ruhig stehenden Pferde begann zu scheißen. Es sah befreiend aus, wie sich zwischen den riesigen Hinterbacken des Pferdes ein paar grüngelbe Bollen herausschoben und dampfend auf die Straße herunterfielen. Ich glaubte momentweise, dass nicht das Pferd schiss, sondern der auf dem Pferd sitzende Polizist. Nein, es sah sogar noch phantastischer aus: Als würde der aufsitzende Polizist durch den Leib des Pferdes hindurchscheißen. Meine gute Laune hielt an, bis ich zu Hause eintraf. Dort stellte ich fest, dass der Sattel meines Fahrrads gestohlen worden war. Das Fahrrad war angekettet, sonst hätte der Dieb womöglich das ganze Rad mitgenommen.

Obwohl ich jetzt angemüdet war, ging ich zur nächsten Polizeiwache und erstattete Anzeige gegen Unbekannt. Eine junge Polizistin sagte, dass ein Sattel von geringem Wert sei. Ich wusste nicht, was ich mit der Mitteilung anfangen sollte. Es klang, als wollte mir die Polizistin sagen, ich solle die Anzeige wegen Belanglosigkeit unterlassen. Ein älterer Polizist kam aus dem Nebenzimmer, spannte ein Formular mit mehreren Durchschlägen in eine Schreibmaschine und nahm die Anzeige auf. Er fragte: Ist Ihr Fahrrad versichert?

Ja, sagte ich.

Wahrscheinlich werden Sie sich einen neuen Sattel kaufen?

Vermutlich, sagte ich.

Dann schicken Sie eine Kopie der Rechnung und eine Kopie der Anzeige an die Versicherung, dann kriegen Sie den Kaufpreis ersetzt.

Ich unterschrieb die Anzeige, der Polizist gab mir eine Kopie. Ich ging noch einmal in die Innenstadt und kaufte für 29,– Euro einen neuen Sattel.

Schicken Sie die Rechnung an Ihre Versicherung? fragte der Angestellte.

Ja, sagte ich, zusammen mit der Anzeige bei der Polizei.

Genau, sagte der Angestellte.

Der Mann kassierte die 29,– Euro für den Sattel, schrieb mir jedoch eine Quittung über 89,– Euro. Ich verstand nicht sofort und hielt den Mund.

Der Angestellte sagte: Man soll jeden Tag eine gute Tat vollbringen, das habe ich bei der evangelischen Jugend gelernt.

Er lachte und übergab mir die Quittung. Erst draußen auf der Straße wurde mir klar, dass ich soeben an einer kleinen Gaunerei teilgenommen hatte. Offenbar war es jetzt schon so, dass ein gewöhnliches Fahrradgeschäft jederzeit, ohne gebeten worden zu sein, einen Kleinbetrug einzuleiten bereit war. Mir kam ein kleiner fremd bleibender Gedanke: Durch ein lächerliches Vergehen war ich momentweise individuell geworden. Der Gedanke verlor seine Fremdheit und wurde mit mir intim. Es war jetzt so, als wäre ich durch den Betrug dem täglich drohenden Gefühl der Abgenutztheit kurzfristig entkommen. Dieses Gefühl blieb bestehen, bis Maria am Abend zu mir kam. Sie trug eine helle, fast durchsichtige Bluse, und einen BH, von dem ich wusste, dass er ihr zu klein war. Obwohl ich das Angebot von Erlenbach vorerst für mich behalten wollte, konnte ich mich nicht beherrschen. Und obwohl Maria angetrunken war, freute sie sich und wurde hellwach.

Und? Nimmst du an? fragte sie.

Das ist die Frage, sagte ich.

Was ist die Frage?

Du weißt, dass ich meine Unabhängigkeit schätze, sagte ich.

Das ist klar, sagte Maria, aber die Zeiten sind ernst.

Du meinst, einen solchen Job darf ich mir *jetzt* nicht entgehen lassen?

Genau das meine ich.

Das ist mir zu ängstlich, sagte ich.

Du musst dir auch überlegen, was geschehen könnte, wenn du ablehnst. Erlenbach könnte eingeschnappt sein und dir keine Aufträge mehr geben, sagte Maria.

Das ist ein Argument, gab ich zu.

Und was würdest du dagegen machen?

Dagegen könnte ich gar nichts machen; ich kann nur darauf vertrauen, dass ich auch von anderen Büros Aufträge kriege, wenn ich mich bemühe.

Du hast dich schon oft bemüht und es hat kaum etwas geklappt, sagte Maria.

Ja ja, ich weiß; was würdest du machen?

Ich würde den Job annehmen, um ihn auszuprobieren. Vielleicht gefällt es dir ja bei Erlenbach. Wenn es dir nicht gefällt, kannst du wieder gehen.

Das ist gut gedacht, sagte ich. Die Verhältnisse sind klebrig. Wenn ich mal drin bin, bin ich drin, ob es mir gefällt oder nicht. Und außerdem, wenn ich wieder weggehe, nachdem ich eine Weile angestellt war, könnte Erlenbach sogar noch beleidigter sein.

Was fürchtest du am meisten?

Das dauernde Beobachtetwerden. Alle wissen in jeder Minute, was du gerade tust und wann man dir eine neue Arbeit auf den Schreibtisch legen muss.

Aber dafür kriegst du jeden Monat dein Gehalt und musst nicht am Wochenende arbeiten, sagte Maria.

Du redest wie meine Mutter, antwortete ich.

Ich bin inzwischen auch deine Mutter.

Du spinnst, sagte ich.

Mütter spinnen oft, sagte sie.

Es entstand ein Schweigen. Dann sagte ich: Das unablässige Beobachtetwerden trifft mich im Innersten. Außerdem will ich nicht immerzu funktionieren.

Ich weiß, sagte Maria.

Im Kern bin ich ein Drückeberger, sagte ich; wenn es sein muss, zögere ich drei Stunden lang, um mit einer kleinen Arbeit endlich anzufangen.

Ich habe nicht gewusst, dass es so schlimm ist.

Es ist sogar noch schlimmer. Mein ganzer Individualismus ist nur ein kindisches Versteckspiel, das ich trotzdem nicht aufgeben will. Ich zögere sogar das Scheißen hinaus, wenn ich nicht die richtige Klostimmung habe. Und wenn ich nicht telefonieren will, nehme ich den Hörer nicht ab. Ich stehe neben dem Apparat und warte, bis das Klingeln aufhört.

Das wird bei Erlenbach & Konsorten nicht gehen, sagte sie.

Ich kann nur arbeiten, wenn ich in der Arbeit auch meine Arbeitsunlust mitleben kann.

Hast du eine Idee, was hinter der Verweigerung steht?

Gleichgültigkeit, Überdruss, Ekel, Melancholie, sagte ich.

Und *dahinter*?

Mein Gott, seufzte ich, dahinter steht das Gefühl meines inneren Absterbens.

Maria schaute mich an.

Das kenne ich sehr gut, sagte sie dann.

Kämpfst du dagegen?

Ja, antwortete sie, und ich bin noch unbegabter als du.

Worin besteht dein Kampf?

Na, du weißt doch, ich trinke.

Wir haben keine Chance, sagte ich, neben das gelebte Leben tritt das gefürchtete Leben.

Jetzt wirst du auch noch klug, sagte Maria.

Man muss seiner Mutter gefallen.

Wir lachten kurz, danach trat Stille ein. Zwischendurch dachte ich an Karin. Obwohl ich sie immer noch kaum kannte, würde ich sie in Kürze lieben. Ich hielt der Enthüllung, dass es vermutlich egal war, wen man liebte, kaum stand. Aus Ratlosigkeit trat ich ans Fenster und sah auf den Gehweg hinunter. Eine Hochschwangere ging vorüber. Ihre stark vergrößerten Brüste lagen wie langgestreckte Beutel auf ihrem Leib. Der Anblick gefiel mir. Im Radio erklang Mozarts einziges Fagott-Konzert in B-Dur. Es war nicht leicht, aus der Stille herauszutreten. Ich fühlte mich beschämt, wusste aber nicht weshalb. Kein Mensch, dachte ich, ist zu einer wahrheitsgemäßen Darstellung seiner inneren Lage fähig. Das war schon wieder klug, also irgendwie unbrauchbar. Wenn ich mich nicht täuschte, stand uns eine Peinlichkeit bevor. Undurchschaubare Einzelheiten durchkreuzten unser Leben. Ich fürchtete, dass meine gewöhnliche tägliche Trauer irgendwann in ein leichtes Deppentum übergehen könnte. Wieder sehnte ich mich nach einer Lebenseinfalt, die es nicht gab.

Hast du eine Ahnung, was wir machen könnten? fragte Maria.

Gibts einen neuen Film?

Ach Kino, sagte Maria.

Weißt du was Besseres?

In einem Dorf im Rheingau gibts ein Weinfest.

Im Rheingau, fragte ich, wo liegt das?

Man kann mit der S-Bahn hinfahren, sagte Maria.

Wie lange dauert das? fragte ich.

Etwa zwanzig Minuten.

Du warst schon einmal dort? fragte ich.

Vor sehr langer Zeit, sagte Maria, als Kind.

Es entstand wieder Stille. Mit Volksfesten konnte ich nicht viel anfangen. Mir passte nicht, dass der Tag verging und ich immer noch nicht wusste, wie ich mich zu Erlenbach & Wächter verhalten sollte. Maria sah, dass mein Unbehagen nicht verschwand. Ich öffnete die Balkontür, der Sommer drang in das Zimmer.

Dann sagte Maria: Es ist für dein weiteres Leben nicht wichtig, ob du den Job annimmst oder nicht.

Ich verstand nicht sofort.

Als ich schwieg, sagte Maria: Ich meine, du wirst sowieso erst in etwa fünf Jahren wirklich wissen, welche Entscheidung gut für dich gewesen ist und welche nicht.

Und deswegen ist es gleichgültig, fragte ich, wie ich mich jetzt entscheide?

Es ist nicht völlig gleichgültig, fünf Jahre sind fünf Jahre, sagte Maria; ich an deiner Stelle würde den Job annehmen, weil du nicht weißt, ob man dir in fünf Jahren noch einmal eine solche Chance geben wird. Ob das gut war, wirst du frühestens in fünf Jahren wissen. Wenn du aber die Stelle ablehnst, wirst du auch das nicht wissen, das meine ich.

Ich fand die Überlegung zwingend. Wie so oft, wenn mich Marias Denkfähigkeit überraschte, verfiel ich in Respekt und Bewunderung. Im Grunde hatte Maria soeben entschieden, dass ich die Stelle annehmen musste. Und zwar hatte sie die Frage im Sinne meiner Interessen entschieden. Es war plötzlich sinnlos geworden, sich weiter zu verweigern.

Etwa dreißig Minuten später betraten wir das mit Trinkbuden und Fahrgeschäften übersäte Gelände eines Weinfestes in einem Dorf zwischen Frankfurt und Wiesbaden. Der Ort lag nicht weit von einer U-Bahn-Haltestelle entfernt und bestand aus drei Dutzend quadratisch angeordneter Straßen voller kleiner, spitzgiebliger Häuschen. Vom Dorfrand her, am Fuß der Weinberge, erklang das Gedudel der Spielbuden. Es war ein gewöhnlicher Werktagabend, der Besuch war nicht überwältigend und deswegen erträglich. Die Männer liefen in Hemden, die Frauen in Blusen und T-Shirts umher. Zweimal durchquerten wir das Gelände, dann suchten wir uns zwei Plätze an den Holztischen eines Weinausschanks. Als die Gläser vor uns standen, sagte ich Maria, dass ich die Stelle bei Erlenbach

& Wächter angenommen hatte. Sie freute sich. Das hätte ich nicht gedacht! sagte sie mehrmals. Unter dem Einfluss meines Geständnisses tranken wir flott und schnell. Maria beugte sich mehrmals über den Tisch und küsste mich. Ich sah, dass sich von ihrem Hals zum Busen hinab eine zarte lange Falte zu bilden begann. Ich hätte nicht gedacht, dass du über deinen Schatten springst, sagte Maria. Die kleinen Ereignisse in unserer Umgebung unterhielten uns. Einmal trat unter einer Holzbank eine Ratte hervor. Ich erschrak nicht. Ein beinamputierter Mann lehnte sich gegen eine Budentheke und winkte mit seiner Krücke. Ringsum ertönte lautes Ehefrauenlachen. Ein Drehorgelmann erschien und spielte La Paloma. Als ich dreizehn war, war La Paloma die einzige Melodie, die ich kannte. Damals verliebte ich mich in die kleinen Fische im Aquarium eines Zoogeschäfts und hatte Sehnsucht nach dem Meer, das ich nur von Bildern kannte. Ein junges Paar an unserem Tisch unterhielt sich leise. Maria wies mich auf ein älteres Paar hin, das in Kürze nach Hause aufbrechen würde. Die Frau war stark und breit, der Mann gekrümmt und klein. Er war ungeschickt, aber auch unwillig. Die Frau hielt ihm den Sakko hin, er stieß mit seinem linken Arm mehrmals am Ärmel vorbei, worüber auch die Frau unwirsch wurde. Als er endlich im Sakko steckte, zog sie dessen Rückseite mit einigen kräftigen Schüben nach oben, bis der Kragen ordentlich den Hals des Mannes umschloss. Zum Schluss gab sie ihm Hut und Stock.

An diesem Punkt begann Maria zu lachen, ich blickte auf den Boden.

Mit dir könnte ich tagelang das Leben betrachten, sagte sie.

Trotz der Langeweile?

Mit dir ertrage ich auch die Langeweile, beziehungsweise mit dir wird auch die Langeweile interessant.

Ich verstand den Satz nicht ganz und schwieg.

Sollen wir nicht noch ein bisschen spazierengehen? fragte sie.

Kannst du noch? fragte ich zurück.

Wir gehen einmal den Weinberg hoch und dann kehren wir um, sagte sie.

Der Spaziergang von zwei Trunkenbolden, sagte ich.

Wir lachten und machten uns auf den Weg. In den Weinbergen war niemand. Ein kleiner Fuchs ging die Stockfurchen entlang und verschwand, als er uns bemerkte. Tief unten, im Tal, rauschten die S-Bahnen zwischen Frankfurt, Mainz und Wiesbaden hin und her.

Wann willst du bei Erlenbach anfangen?

Vermutlich am nächsten Ersten, sagte ich.

Wann geht's bei denen morgens los?

Das weiß ich noch nicht, hoffentlich nicht zu früh.

Bist du besorgt? fragte ich.

Plötzlich ja, sagte Maria; es würde mir nicht gefallen, wenn du morgens um halb sieben aus dem Bett springen müsstest.

Ich werde ein x-beliebiger Angestellter sein, sagte ich.

Daraufhin verstummte Maria. Wir bogen nach links ab, wo ein schmaler Weg in ein kleines Wäldchen führte. Kein Tier, kein Vogel, kein Mensch weit und breit. Oben, am Waldrand, umarmte und küsste mich Maria. Sie ließ sich in hohes Gras fallen und zog ihren Schlüpfer aus. Ich kniete mich über sie und sah eine Weile meiner Hand dabei zu, wie sie sich zwischen Marias Beine schob. Ich fühlte eine kleine Hemmung. Vermutlich rührte sie von dem unbegrenzten Raum her, der sich rings um uns wölbte. Gehörte zum Beischlaf nicht der kleine, geschlossene Raum eines Zimmers? Zwischen Marias Beinen blitzten ihre rosa Schamlippen hervor. Auch die kleinen Wölkchen am Abendhimmel waren rosa und schimmerten ähnlich wie Marias Geschlecht. Es rührte mich, dass sowohl am Himmel als auch auf der Erde die Farbe Rosa auftauchte. Ich betrachtete Marias Schlüpfer im Gras. Auch er rührte mich.

7

DER ARBEITSBEGINN BEI Erlenbach & Wächter verlief
problemlos und glatt. Die Angestellten begrüßten mich
freundlich und gleichzeitig routiniert. Sie taten ein bisschen so, als sei mein Eintritt in ihr Büro seit langer Zeit
erwartet gewesen und eigentlich überfällig. In gewisser
Weise war ich ein weiterer Darsteller eines unter Architekten weithin bekannten Schemas: Nach einer Anfangszeit
als freelancer wechselte ich in feste Verhältnisse. Erlenbach wies mir den früheren Schreibtisch von Autz an. Es
gab eine Arbeitsgruppe von drei Kollegen, die sich mit
der Hängebrücke beschäftigten, ihr wurde ich zugeordnet.
Ich fing sofort an zu arbeiten und langweilte mich bald.
Ich merkte es, als ich zu lange aus dem Fenster schaute und
mich zu oft fragte, ob der Regen draußen gerade oder
schräg vom Himmel fiel. Die Frage war nicht zu beantwor-
ten, weil niemand sagen konnte, von welchem Punkt des
Himmels sich der Regen von den Wolken löste. Außerdem
waren fast immer starke Winde unterwegs und trieben den
Regen, bevor er auf der Erde ankam, mal dahin und mal
dorthin. Dann beschäftigte ich mich mit der Kollegin, die
mir gegenübersaß, Frau Fischer. Sie war etwa fünfund-
dreißig, schlank, hübsch, staubblond. Sie schob sich fast
unablässig ihre seitlich ins Gesicht ragenden Haarspitzen
in den Mund, kaute auf dünnen Haarbündeln und merkte
es oft nicht mehr. Schon fragte ich mich, ob es irgend etwas

gab, was ich fast ununterbrochen tat. Ein umständliches Problem war die Mittagspause. Einige Kollegen zogen sich in den sogenannten Pausenraum zurück, tranken einen Becher Kaffee und aßen ein belegtes Brot, das sie sich von zu Hause mitbrachten. Früher, als ich frei gearbeitet hatte, hatte ich ebenfalls unregelmäßig gegessen. Jetzt arbeitete ich regelmäßig und musste auch regelmäßig essen. Anfangs wollte ich es auch mit einem Brot und einem Apfel versuchen, aber ich scheiterte am Pausenraum selber. Es war ein kleiner, beige gestrichener Raum mit einem Fenster ohne Gardine und einem Eisschrank an der linken Wand. Als ich zum ersten Mal in den Raum hineinsah, stand ein einzelnes verlassenes Joghurt auf dem Resopaltisch in der Mitte. Eine andere Kollegin, Frau Bauernfreund, besorgte sich am Wochenanfang die Speisepläne der umliegenden Fastfood-Lokale und Schnellmetzgereien. Frau Fischer entblödete sich nicht, am Montagmorgen vorzulesen, was es die Woche über da und dort zu essen gab. Etliche Fastfood-Anbieter stellten neuerdings Tische und Stühle nach draußen, ganz so, als wären sie »richtige« Restaurants. Man konnte dann verlassen wirkende Menschen sehen (ähnlich wie das Joghurt auf dem Resopaltisch), die an ungedeckten Tischen saßen und irgend etwas verzehrten.

Auch ich hatte Hunger, aber ich wollte mich weder in ein Fastfood-Lokal setzen noch in einer Imbiss-Ecke herumstehen. Ich lief allein in der Gegend umher und sagte immer mal wieder zu mir: Dein Problem ist lächerlich. Wenn es einen Park gegeben hätte, dann … aber es gab keinen Park. Einmal rief Karin an und bat mich, Michaels Schreibtisch zu räumen und ihr seine Privatsachen mitzubringen. Dabei fand ich den fremden Ausweis, den wir gemeinsam gefunden hatten, zum zweiten Mal. Ich betrachtete ihn und nahm ihn an mich. Ich hatte jetzt zwei Gebrauchtfrauen, einen Gebrauchtjob, einen Gebrauchtwagen und jetzt auch noch einen Gebrauchtschreibtisch. Ich erschrak, erhob mich und lief eine Weile im Büro umher. Draußen, auf den Fenstersimsen anderer Büros, saßen Tauben und brachten ihre würgenden Kehllaute hervor. Ich schreckte an diesem Tag nicht davor zurück, die Würgelaute als Zukunftszeichen meines Lebens zu deuten. Es klang, als würde ... ach nein, ich wollte den törichten Vergleich nicht denken. Maria versuchte, mich in bessere Stimmung zu bringen. Sie brachte mich dazu, eine neue Hose, zwei Hemden und eine Sommerjacke zu kaufen. Ich ging tatsächlich ein paar Tage lang mit den neuen Sachen ins Büro und erregte die Bewunderung der Kollegen. Dabei brauchte ich weder neue Kleidung noch die Bewunderung einiger Angestellten. Die neue Sommerjacke hatte zur Folge, dass mich Erlenbach ins Hochbauamt schickte, um ein paar technische Details zu klären. Ich fürchte, dass Erlenbach die Peinlichkeit nicht bemerkte, die er mir mit dieser Bevorzugung zufügte. Wenn die Zudringlichkeiten zu stark wurden, sagte ich mir: Du kannst wieder gehen. Zum Glück konnte ich mich mit Maria auch über lächerliche Einzelheiten aussprechen. Gegenüber Karin war ich viel zurückhaltender. Ich konnte nicht richtig einschätzen, wie privat ihre Beziehung zu Erlenbach war, und ich konnte mich nicht von dem Argwohn freimachen, dass sie ihm von mir erzählt hatte, ohne sich etwas dabei zu denken. Zärtlich und fast mütterlich einfühlsam war Maria. Sie beruhigte mich, redete mir zu, streichelte mich und setzte sich beim Vögeln oft auf mich. Da sie wenig Gewicht hatte, spürte ich hauptsächlich ihre Bewegungen und konnte dabei ihren Körper lange anschauen, was mich tröstete. Bei ihr verlor ich sogar die Zwangsvorstellung, dass ich vom Leben benachteiligt sei; jedenfalls immer mal wieder. Dem tagsüber erinnerten Anblick von Maria hing ich häufig nach, wenn ich still an meinem Schreibtisch saß und Konstruktionspläne zeichnete.

Karin lobte mich, dass ich die Stelle ihres verstorbenen Mannes eingenommen hatte. Das Lob reizte mich, was ich zu verbergen suchte. Auch Maria war froh, dass ich eine feste Stelle hatte. Beide Frauen taten so, als hätte ich zuvor in riskanten Verhältnissen gelebt. Die Stelle hatte zur Folge, dass ich auch dann an meine Arbeit dachte, wenn ich gar nicht arbeitete. Früher war es genau umgekehrt: Ich dachte nicht einmal dann an meine Arbeit, wenn ich arbeitete. Nach etwa drei Wochen bildete sich zwischen den Fingern meiner linken Hand ein Ekzem. Die Haut rötete sich und sprang auf. Zuletzt hatte ich ein solches Ekzem vor vielen Jahren, als die Unmöglichkeit meiner Ehe offenkundig wurde. Ich wusste jetzt, dass irgend etwas in meinen Verhältnissen nicht in Ordnung war. Natürlich sah ich in meiner Stelle den auslösenden Faktor. In diesen Tagen überwies mir die Fahrradversicherung den Rechnungsbetrag für den neuen Sattel, 89,– Euro. Nach der Arbeit suchte ich häufig ein Terrassencafé in der Nähe des Büros auf und machte mir moralische Vorhaltungen. Die Hauptüberlegung war die Frage, ob die Kleinkriminalität ein Ausfluss verfrühter Melancholie oder des vorzeitigen Alterns war. Ich saß vor einem zur Hälfte ausgetrunkenen Milchkaffee, hörte dem Tröpfeln des Regens zu und betrachtete erneut die erbarmungswürdigen, wie Erniedrigte und Beleidigte herumstehenden Altbauten. Eine Wespe hatte starkes Interesse an meinem Milchkaffee und ließ sich wie ein winziger Hubschrauber in die Tassenöffnung hinab. Ich staunte, als ich sah, wie sicher die Wespe sogar in dem engen Tasseninnenraum fliegen konnte. Mit winzigen, schnell wiederholten schaukelnden Bewegungen hielt sie sich im dünnen Luftraum der Tasse und ließ sich dann an einer weniger schaumigen Stelle der Tasseninnenwand nieder. Wenn mich in diesen Augenblicken jemand gefragt hätte, was man am besten nach Feierabend tun soll, hätte ich geantwortet: Suchen Sie sich ein kleines Tier und betrachten Sie es. Aber es kam niemand und fragte mich. Ich kratzte an den Aufschürfungen des Ekzems, so dass die Hautflecke größer und röter wurden und außerdem brannten. Vermutlich juckte es mich, dass ich vielleicht nicht den Mut aufbringen würde, mich aus dieser Lage zu befreien. Oder es juckte mich, dass ich zu feige war, mein mangelndes Interesse an einem Wochenendausflugsplan von Karin einzugestehen. Karin wurde von Zeit zu Zeit von der Angst heimgesucht, sie sei nur mangelhaft gebildet, besonders auf den Gebieten der Kunst und der Musik. Dann entschloss sie sich, eine Ausstellung in x, ein Symposion in y oder eine Tagung in z zu besuchen. Diesmal war es eine Monet-Ausstellung im Wuppertaler Von der Heydt-Museum, von der sie sich eine Abstillung ihres Mangels erhoffte. Ich hatte mit ihr schon oft solche Termine besucht und glaubte nicht mehr, dass der Bildungstourismus je aufhören könnte.

Karin wünschte, von mir (wie sie es von ihrem Ehemann gewohnt war) im Auto nach dahin und dorthin gefahren zu werden. Für Karin waren meine Dienste offenbar unproblematisch. Für sie war ich der beste greifbare Ersatzdarsteller ihres toten Ehemanns geworden. Sie sprach mit mir, als wäre ich schon immer er gewesen. Also würde ich in Kürze eine Kunstbildungsfahrt nach Wuppertal unternehmen müssen. Warum war denn wieder alles so seltsam? Das konnte doch wieder nur heißen, dass ich mit dem wirklichen Leben nicht recht verwachsen war. Die versuchte Verschmelzung war bei mir während des Vollzugs irgendwann steckengeblieben und hatte dieses jetzt wieder nach vorne drängende Seltsamkeitsgefühl hinterlassen. Weil ich mich wehrlos fühlte, verhärtete sich in mir der Verdacht, dass niemand es mir recht machen konnte, nicht einmal ich selbst, beziehungsweise: ich schon gar nicht. Ich war über diese inneren Missklänge nicht (mehr) beunruhigt. Ich kam am besten zurecht, wenn ich mich vom Leben ein wenig abgestoßen fühlte. Ich war von niemandem abgestoßen, sah ringsum aber doch viele Leute, bei deren Anblick ich starken Widerwillen empfand. Ich verstand diesen Widerspruch nicht, aber es tat mir gut, dass ich ihn entdeckte. Ich drehte meine Tasse, weil die Wespe darin die Seite gewechselt hatte. Auf der mir jetzt zugewandten Rückseite der Tasse sah ich am oberen Tassenrand nicht abgespülte Lippenstiftreste. Eine Weile versuchte ich, die Schmutzspuren gelassen hinzunehmen. Dann merkte ich doch, wie ein kleiner Ekel vor der Gebrauchtheit der Welt wieder in mir hochstieg. Ich winkte die Bedienung herbei, beschwerte mich kurz, zahlte und ging.

Um das Ekelgefühl zu verlieren, betrachtete ich die Schaufenster der kleinen Läden. An der Tür einer Bäckerei hing ein Schild mit der Aufschrift: GUTES VOM VORTAG – 50 % RABATT. Der Text leuchtete mir zum Glück sofort ein. Das Leben von gestern musste um die Hälfte billiger sein. Die um die Hälfte reduzierte Einladung lockte mich. Aber ich genierte mich, nach den verbilligten Stücken zu fragen. Ich konnte nicht in den Laden gehen und sagen: Ich kaufe das und das und das – aber bitte alles von gestern. Ich überlegte mir, zwei Kürbiskernbrötchen zu verlangen und im Augenblick, wenn die Verkäuferin die Brötchen eintütete, zu fragen: Sind sie von gestern? Ich? fragte die Verkäuferin und lachte. Oh! machte ich. Ich bin tatsächlich von gestern, aber ich bin auch von heute, sagte die Verkäuferin. Die Antwort gefiel mir sehr, ich wollte sie mir merken. Ich wollte zwei, Verzeihung, ich wollte nur zwei Kürbiskernbrötchen von gestern, sagte ich. Auf gewisse Weise zufrieden ging ich nach Hause. Momentweise kehrte ein Gefühl zurück, in dem ich früher, als ich noch frei arbeitete, halbe Tage verbrachte. Damals konnte ich sogar die Augenblicke spüren, dass ein Tag dann und nur dann mir gehörte, wenn ich stundenlang ohne Absichten und ohne Pläne in diesem Tag herumlief. Dabei wollte ich immer nur sehen, ob die Leute auch heute das taten, was sie gestern und vorgestern schon getan hatten. Wie die meisten Menschen, die mit starken Verdächtigungen umhergehen, wusste ich von allem zuwenig. Jetzt aber kehrte ich mit zwei stark reduzierten Kürbiskernbrötchen nach Hause zurück. In meinem Kühlschrank fand ich einen Rest Mettwurst und einen halben Camembert. Ich hatte vergessen, dass viele Kürbiskerne von einem Brötchen herunterspringen, wenn man das Brötchen durchschneidet. Im Nu hüpften viele Kürbiskernhälften auf den Boden meiner kleinen Küche. Ich aß zuerst die mit Käse belegte Brötchenhälfte und schob dabei mit der Hand die auf den Boden gefallenen Kürbiskerne zu einem Häufchen zusammen. Ich wollte das Häufchen in den Mülleimer schütten, aber plötzlich gefiel mir das Kürbiskernhäufchen, so dass ich es auf dem Boden liegen ließ. Ich stellte es mir schön vor, morgen oder übermorgen von der Arbeit zurückzukehren und dann zu denken: Oh! Mein Kürbiskernhäufchen ist wieder da! Wurde ich allmählich verrückt? Nach meiner Kenntnis wurden die Menschen nicht auf einen Schlag verrückt, sondern langsam, sehr allmählich. Genau diese Entwicklung traf auf mich zu. Ich hatte mir diese Frage schon vor vielen Jahren gestellt. Eine kleine Unruhe trieb mich zum Fenster, ich kaute und sah auf die Straße. Ein Mann mit zwei Plastiktüten lief suchend umher. Zwischen zwei Mülltonnen fand er eine Krücke. Er nahm sie und ging mit ihr weiter. Es sah aus, als hätte er seit vielen Jahren nach einer Krücke gesucht. Ich wurde nicht verrückt, aber auch nicht ruhig. Es gab inzwischen viele Verrückte oder Fastverrückte oder zeitweise Verrückte. Ich betrachtete den kleinen Stapel von Versandhauskatalogen, die ich in den letzten Wochen in meinem Briefkasten gefunden und nicht sofort weggeworfen hatte. Da griff ich eine ältere Idee von Michael Autz wieder auf. Ich trennte aus drei Katalogen je eine Bestellkarte heraus und schrieb auf jede den Namen des Mannes, dessen Personalausweis ich immer noch bei mir trug. Ich bestellte je eine elektrische Zahnbürste, ein Heimbohrer-Set und eine automatische Schuhputzbürste. Eine Adresse gab ich nicht an; ich schrieb auf jede Bestellkarte nur: Postlagernd Frankfurt/Main. Durch eine kleine Drehung des Kopfes blickte ich plötzlich auf das Hochzeitsfoto meiner Eltern, das auf meinem Bücherregal stand. Sahen sie mir immer noch zu und verurteilten mich? Ich war dankbar, dass mich meine Eltern nicht mehr überraschen konnten. Die beiden waren jetzt so weit von mir entfernt, dass sie plötzlich aussahen wie zwei gescheiterte Clowns aus einem anderen Land. Ich fragte mich, wer von beiden fremder aussah. Beide, Vater und Mutter, waren unterempfindlich. Wahrscheinlich war die Unterempfindlichkeit nötig, anders hätten sie nicht leben können. Immer noch war es mir ein Rätsel, wie unterempfindliche Eltern einen überempfindlichen Sohn hatten in die Welt setzen können. Vermutlich verstanden sie das auch nicht. Dabei waren sie beide nur ahnungslos und völlig naiv. Die Mutter stand (zwei Köpfe kleiner als ihr Mann) neben meinem Vater, ihre linke Hand in den angewinkelten Arm ihres Mannes geschoben. Sie lachte nicht, als sie heiratete. Auch mein Vater lachte nicht. Er trug einen dunklen Übergangsmantel, der ihm bis zu den Knien reichte. Unterhalb des Mantelsaums ragten zwei verkrumpelte Hosenbeine hervor. Seine schwarzen Halbschuhe waren vermutlich kurz vor dem Auseinanderfallen. Auch Vater war, genau wie seine Frau, bedrückend schutzlos und ausgeliefert. Später erfuhr ich, dass er zur Zeit der Eheschließung als Montagearbeiter in der Nähe von München gelebt hatte. Er verdiente so wenig, dass er sich als Unterkunft nur eine nicht heizbare Holzbaracke leisten konnte. Seine Frau lebte getrennt von ihm bei ihren Eltern. Durch seine ärmliche Kleidung entgleiste das sowieso schon entgleiste Paar noch einmal. Ich wollte über das Bild (wie schon öfter) lachen, aber es klappte nicht. Ich fand es unpassend, dass ich mich immer noch mit der Armut der Eltern beschäftigte. Eigentlich hatte ich angenommen, dass sich diese Einfühlung irgendwann von selbst auflösen würde. Offenkundig war das Gegenteil der Fall. Ich hatte Mitleid mit den Eltern wie mit Leuten, die sich selbst vernachlässigt hatten und nicht recht wussten, was sie tun sollten. Tatsächlich hatte ich als Kind meinen Eltern gegenüber starke Fremdheit empfunden. Ich konnte immer noch nicht fassen, dass diese beiden zum Lachen aufreizenden Leute meine Eltern waren. Ich überlegte, ob ich das Foto umdrehen oder in einem Koffer verstauen sollte. Statt dessen stieg ein Wehmutsanfall in mir hoch, der mich für jeden Entschluss unfähig machte.

Am Abend kam es zu einem unerfreulichen Auftritt von Maria, an dem ich leider selbst schuld war. Ich bewirtete sie, wir tranken Wein und plauderten. Maria schwitzte so stark, dass sie sich schon während des Abendbrots auszuziehen begann. Sie fragte scheinheilig, ob ich daran Anstoß nehmen würde. Ich musste über die Frage lachen und küsste ihr schon am Tisch den Busen. Sie trank zuviel, wogegen ich nicht einschritt. Wenn Maria wusste, dass wir bald nach dem Abendbrot ins Bett gingen, wurde sie durch den Alkohol nicht müde, sondern aufgekratzt. Aber dann geschah es. Sie ging ins Bad, um dort den Rest ihrer Kleidung abzulegen. Dabei entdeckte sie in einer Schublade einen Tampon, der nicht von ihr stammte. Weder hatte ich gewusst, dass in einer meiner Schubladen Tampons lagen, noch hatte ich gewusst, dass Maria in diese Schubladen hineinschaute. Sie stürzte aus dem Badezimmer, streckte mir den Tampon entgegen und empörte sich. Wem gehört dieses Ding? Mir war klar, dass der Tampon Karin gehörte. Nach Lage der Dinge wäre Lügen albern gewesen. Ich gab zu, dass ich von Zeit zu Zeit eine andere Frau traf, woraufhin Maria schrie und weinte.

Sag, wer ist die Frau, sagte sie schluchzend, nein, sag es nicht, ich will es nicht wissen, wahrscheinlich ist es eine Schlunze aus eurem Betrieb, ich habe es immer gewusst.

Sie schimpfte weiter und zog sich wieder an. Ich saß in einem Sessel und schaute schweigend in die Umgebung des Zimmers wie einst mein Vater. Maria beugte sich über mich, schüttelte meine Schultern, packte meinen Hemdenkragen und riss ihn auseinander.

Du Lump, schrie sie, ich will dich nicht mehr sehen, geh zu deiner Büronutte.

Als Kind hatte ich Sommerfliegen gefangen und sie in Streichholzschachteln gesperrt, nicht selten mehrere Fliegen in einer Schachtel. Die Fliegen rasten, ohne sich bewegen zu können, sie wurden fast verrückt in der Enge der Schachtel. So ähnlich fühlte ich mich jetzt. Ich saß in einer Schachtel, ich raste vor mich hin und bewegte mich kaum. Von Zeit zu Zeit faltete ich meine Hände und berührte mit den Fingerspitzen der linken Hand die Fingerspitzen der rechten Hand. Immer mal wieder glaubte ich, dass ich nachdachte, aber ich konnte nicht wirklich nachdenken. Es beeindruckte Maria, dass sie meinen Hemdenkragen zerrissen hatte. Tatsächlich war es zwischen uns nie zuvor zu einer solchen Handgreiflichkeit gekommen. Genaugenommen wartete ich darauf, dass Maria sich entschuldigte. In Wahrheit hätte ich mich gerne entschuldigt, wenn ich gekonnt hätte. Ich fühlte, dass mein Hedonismus begonnen hatte, mich mir selber fremd zu machen. Selbstüberfickung, gab es das, fragte ich mich. Ich hatte davon nie etwas gehört oder gelesen. Dann trat Maria fertig angezogen vor mich hin und spuckte auf den Teppich. Sie spuckte nicht wirklich, sie ahmte nur die Bewegung und das Geräusch des Spuckens nach. Danach drehte sie sich um und verließ die Wohnung. Als sie ins Treppenhaus trat, stießen neue Schluchzer aus ihr hervor. Wie ein Spießer sorgte ich mich darum, Nachbarn könnten das Schluchzen gehört haben. Ich war in gewisser Weise dankbar, dass mir ein vergessener Tampon geholfen hatte, eine Klärung herbeizuführen, für welche der beiden Frauen ich mich entscheiden sollte. Ich selbst hätte diese Entscheidung nicht treffen können. Ich liebte beide Frauen, und ich hätte sie auch beide gerne behalten.

Noch zwei Tage später, an einem Samstag, als Karin und ich (in ihrem Auto) nach Wuppertal fuhren, machte ich Monet herunter, was ich selbst ärgerlich fand. Es geschah nur deswegen, weil Karins verstorbener Mann den Maler geschätzt hatte. Es war ein sublimer Akt der Eifersucht, verschoben in ein Bildungserlebnis. Ich nannte Monet einen billigen Kaufhausmaler, der schon im 19. Jahrhundert den Massengeschmack des 20. und 21. Jahrhunderts erkannt hatte und Bilder malte, die heute in jedes Wartezimmer und in jedes Sekretariat hineinpassten. Bevor wir losfuhren, machte sie sich lustig über meine Junggesellenwirtschaft. Sie fasste mit der Hand in meinen sogenannten Wäscheschrank. Was die Unterwäsche betrifft, sagte sie, lebst du wie ein Penner. Wenn meine Sachen in der Wäscherei waren, musste ich mir aushelfen mit älteren Unterhosen, die ich eigentlich schon zum Wegwerfen ausgesondert hatte. Ich hoffte im stillen, sie werde sich nicht bereit erklären, mir demnächst neue Unterhosen zu kaufen. Tatsächlich blieb sie still, wofür ich dankbar war. Eine meiner heftigsten Ängste bestand darin, dass die Liebe mehr und mehr in die Versorgung abwanderte. Bis am Ende nur noch die Versorgung übrig war – und die Liebe sich aufgelöst hatte. Andererseits erkannte ich die Festigung des Alltags, die durch eine dauerhaft anwesende Frau entstand. Der Zwiespalt machte mich stumm, während Karin gesprächiger wurde. Kurz vor Wuppertal nannte sie mich mit dem Namen ihres toten Ehemannes und merkte es nicht oder nicht gleich. Erst im Vorraum des Museums bat sie mich um Entschuldigung. Es schoben sich einige Schluchzer ihre Kehle hoch, so dass sie den Satz nicht zu Ende sprechen konnte. Ich nahm sie an der Hand und ging mit ihr zur Seite. Ich bin überhaupt nur hier, weil Monet der

Lieblingsmaler von Michael war und ich endlich einmal sehen will, was ihm so gefallen hat. Danach schluchzte sie erneut und verbarg ihr Gesicht hinter ihrer Handtasche. Ich überlegte, ob ich etwas sagen sollte, und entschied mich fürs Schweigen. In einer Pause sagte Karin: Denk nicht, dass ich dich nicht mag, das Gegenteil ist der Fall, ich mag dich genauso wie Michael und möchte, dass wir zusammenbleiben.

Ich schaute auf die Straße hinaus. Jugendliche stolperten über eine halbzerbrochene Flasche und kickten die Glasstücke in die Gegend. Ich erhob mich und holte bei der Cafeteria zwei Becher Kaffee. Als ich zurückkam, hatte sich Karin beruhigt. Sie sagte: Willst du nicht zu mir ziehen?

Ich war sprachlos.

Ich merke, dass du mir guttust, sagte sie, aber du musst dich jetzt nicht äußern, ich wollte es dir nur sagen.

Der Kaffee war lauwarm. Trotzdem tranken wir die Becher leer. Dummerweise fühlte ich mich Karin gegenüber verpflichtet, worüber ich nicht reden wollte.

Du bist verwirrt, sagte Karin, das ist authentisch, das gefällt mir an dir.

Karin deutete die Situation falsch, worüber ich auch nicht reden wollte. Überhaupt stand mir nicht der Sinn nach Aussprachen, obwohl vielleicht gerade ich eine solche Aussprache nötig gehabt hätte. Ich litt darunter, dass mir alles in den Schoß fiel: eine Stelle, eine Frau, ein Auto, und jetzt möglicherweise eine Wohnung. Es ängstigte mich, dass ich, wenn ich bei Karin einzöge, vollständig die Kopie eines anderen werden müsste. Ich sah die normal erkalteten Beziehungen voraus, die mir drohten. Ich verachtete das normale, flüchtende Leben und die Vernunft, die zu diesem langsam verhungernden Stillleben hinführte. Leider war ich auch mit der Form meines gegenwärtigen wirklichen Lebens nicht einverstanden. Von den beiden Frauen, mit denen ich zusammen war (wenn mir eine nicht schon abhanden gekommen war), kannte ich genaugenommen nur ihr Geschlecht. Das war nicht die ganze Wahrheit, aber ich dachte diese Herabsetzung oft. Das war mein peinlich gewordener Liebesradikalismus, der sich vor Verfeinerungen jeder Art fürchtete. Ich dachte oft, dass es nicht einen einzigen Menschen gab, den das Geschlechtsleben wirklich zufriedenstellte. Alles, was nach diesem Satz hätte kommen sollen (müssen), flößte mir Furcht ein, weil ich den Folgen nicht gewachsen schien. Es kam immer nur zu Zwischenlösungen, die dann endgültig wurden. Auch mit Karin ging es oft nur halbherzig zu. Sie hatte eine entzückende kleine Kindermöse, lieblich umkräuselt von hellblonden Löckchen. Dieses begeisternde Paradieschen war voller Tücken. Erstens war es fast immer trocken und deswegen abgedichtet wie ein Frauenschließfach, wenn es so etwas gibt. Ich musste es lange liebkosen, damit es sich ein wenig öffnete und zutraulich wurde. Zweitens setzte dann, als ich endlich drin war, ein merkwürdiges Theater ein. Karin begann, mich wieder aus sich herauszuschieben, indem sie die Beine immer mehr zusammendrückte, bis ich tatsächlich wieder herausrutschte. Wir hatten nie über diesen fatalen Verlauf gesprochen, gewöhnten uns aber an ihn, als sei er zwischen Mann und Frau das Menschenmögliche.

Willst du noch etwas von der Cafeteria? Oder sollen wir uns jetzt nicht mal die Ausstellung anschauen? fragte Karin.

Es war unglaublich, aber mit solchen Sätzen ging die

Zwischenlösung weiter. Ich hatte Bilder von Monet bisher immer nur in billigen Bildbänden oder schlecht gedruckten Kalendern gesehen. Jetzt aber, im Museum, einen halben Meter vor den Originalen, war ich überwältigt. Ich wurde vom fast unaussprechlichen Können dieses Malers überrollt. Monet war ein Künstler, der aus der damals schon öden Gebrauchtwelt eine neue Originalwelt schuf. Und obwohl die darauf abgebildete Welt schon über hundert Jahre alt war, erschien sie frisch und lebendig. Weil ich die Bilder so lange unterschätzt beziehungsweise missverstanden hatte, betrachtete ich sie jetzt mit einem endlich ans Tageslicht gekommenen Schuldgefühl und genoss dessen langsame Selbstauflösung, als sei auch das Schuldgefühl auf den Gemälden abgebildet. In der Auflösung meines verrottenden Vorbehalts konnte ich momentweise sogar hinnehmen, dass Karin in der Anschauung der Bilder eine wieder aufflackernde Verbindung zu ihrem toten Mann zelebrierte, über die sie nicht sprach.

Wir blieben fast eineinhalb Stunden in den Sälen des Museums, zwar gemeinsam, aber die ganze Zeit doch getrennt, unsere inneren Bahnen ziehend, was wir auch dann noch taten, als wir wieder nebeneinander im Auto saßen und nach Hause fuhren.

In ihrer Wohnung verwandelte sich Karin zurück in eine *jetzt* lebende Frau. Ich hatte schon fast vergessen, dass sie mich aufgefordert hatte, zu ihr zu ziehen. Beziehungsweise, ich hatte geglaubt, dass sie diesen Vorschlag nicht wirklich ernst gemeint hatte, sondern mir nur sagen wollte, wie unzertrennlich sie sich inzwischen fühlte. Jetzt aber, in ihrem Schlafzimmer, als wir unsere Kleider ablegten, erneuerte sie ihre Bitte, beziehungsweise fragte, *wann* ich denn bei ihr einziehen werde. Sie erkannte nicht (oder es war ihr nicht wichtig), dass mich die Frage herabstimmte, so stark, dass ich eine halbe Stunde später, als wir miteinander schlafen wollten, impotent blieb. Sie umarmte mich und lachte ein bisschen und sagte: Das musst du nicht so ernst nehmen, das ist Michael auch manchmal passiert.

8

NACH DREI WOCHEN WAR es Zeit, bei der Post nachzufra-
gen. Nach Büroschluss nahm ich meinen falschen Ausweis
und machte mich auf den Weg. Leider war ich erregt, was
ich nur zum Teil verstand. Schließlich hatte ich bei der Post
schon manches Paket abgeholt. Ich freute mich auf die
schläfrigen Gesichter der Postler. Ich kannte kaum Menschen, die die Arglosigkeit der Postler hätten übertreffen
können. Was sollte auch dabeisein, Pakete an Menschen
auszuhändigen, die ihren Ausweis vorzeigten und dann
wieder gingen? Aber diesmal sah ich in der Nähe der Paketausgabe einen Polizeiwagen am Straßenrand. Das Auto
war leer. Vermutlich warteten zwei Polizeibeamte in einem
Nebengebäude der Paketausgabe auf eine Person, die drei
Pakete abholte. Ich erschrak, als sei ich bereits festgenommen. Ich setzte mich auf eine Bank und betrachtete das
geparkte Polizeiauto. Ich hoffte, dass zwei Beamte erscheinen würden, die in das Auto einstiegen und wegfuhren.
Aber es erschienen keine Beamten. Das Auto blieb unbe-
rührt und leer am Straßenrand stehen. Also warten sie auf
dich, sagte ich zu mir, mindestens bis 18.00 Uhr, wenn die
Post schließt. Die Beklemmung, die sich in mir ausbreitete,
brauchte etwa eine halbe Stunde, bis sie sich in eine De-
pression verwandelt hatte. Sie haben deine Spur aufgenom-
men! Ich begann zu räsonieren, was ich von mir leider gewohnt war. Meine inneren Zudringlichkeiten schoben sich

zur Hauptbelastung meiner Existenz zusammen: dass ich das wirklich und zweifelsfrei zu mir passende Leben nicht würde finden können. Schon waren die üblichen Pöbeleien da: Was bist du für ein Mensch, dass du dich über einen ergaunerten Toaster freuen willst? Du könntest dir drei Toaster kaufen, aber du brauchst nicht einmal einen einzigen, weil du einen tadellos funktionierenden Toaster in deiner Küche stehen hast. Ich wandte mich von der Post ab und ging in Richtung Markt. Schon seit langer Zeit gefielen mir die ruhigen, schweigsamen Marktfrauen hinter ihren Obst- und Gemüseständen. Ich wusste auch warum: sie ähnelten allesamt meiner Mutter. Die Marktfrauen waren zwischen sechzig und siebzig Jahre alt, sie steckten in grauen, grünlichen oder schmutzigbraunen Kitteln oder Strickjacken, sie hatten große, schwere Brüste und kleine Augen und langsame Bewegungen. Plötzlich hatte ich das Gefühl, meine Mutter sei in vielfacher Gestalt auf die Welt zurückgekehrt und ich würde ihr endlich sagen können, dass ich sie vermisste. Mein Blick blieb länger bei einer Marktfrau, die gerade lachte und ihre schlechten Zähne zeigte. Ihr heller, spitzer Ton ähnelte dem Schrei eines Waldvogels. Leider hörte die Frau auf zu lachen, als sie bemerkte, dass ich sie etwas zu lange anstarrte. Das Verlangen nach meiner Mutter beunruhigte mich. Zur Zeit, als sie noch lebte und ich noch halbwegs jung war, gab es keine Anzeichen dafür, dass ich mich einmal nach ihr sehnen würde. Aus Ratlosigkeit kaufte ich mir einen Henkel Trauben und aß ihn während des Weggehens auf. Immerhin hast du das Recht, dich jederzeit von deinem Arbeitsplatz zu entfernen und dir irgendein Baugelände oder die toxische Bodenbeschaffenheit eines Schrottplatzes anzuschauen und dabei fast Herzschmerzen über die endgültige

Abwesenheit deiner Mutter zu kriegen. Wenn ich nicht auch noch diesen sinnlosen Toaster hätte mein eigen nennen müssen, wäre ich vielleicht zur Beruhigung fähig gewesen. Ich war erst seit kurzem festangestellter Architekt bei Erlenbach & Wächter und konnte nicht schon wieder kündigen, obwohl es mich sehr danach drängte. Dazu fehlte mir leider der Mut. Eine mir bis dahin unbekannte Lebenseinschüchterung hatte mich fest im Griff. Ich hatte schon Angst davor, dass die Beklemmung sich auch körperlich auswirken könnte. Immer wieder las ich in der Zeitung, dass Menschen mit großer unbekannter Angst plötzlich ihre Arme nicht mehr bewegen konnten oder eine Genickstarre erlebten. Am bösartigsten war vielleicht, dass eines der allerschlimmsten Klischees auf mich zutraf: Ich kannte niemanden, mit dem ich mich aussprechen konnte. Karin fiel vollständig aus. Sie stellte sich Männer in ihrer Umgebung als Souverän ihrer Existenz vor und niemals als Leidende. Karin redete über Monets späte Bilder, über moderne Architektur in Brasilien oder über Gustav Mahlers Melancholie. Die Trauben trösteten mich nicht. Kurz danach erfasste mich Verlangen nach Maria. Es war so direkt körperlich, dass es mich beschämte. Eine ganze Weile bemerkte ich nicht, dass ich von Maria immer noch so dachte, als wäre sie mir nicht davongelaufen. Fünfzehn Sekunden später hielt ich mir vor, dass Karin wahrscheinlich die falsche Frau für mich war. Selbstverständlich hatte in meinem Leben der gute Beischlaf einen dreimal höheren Wert als das gute Gespräch. Nach etwa fünfzehn Minuten wurde mir übel, vielleicht hatte ich zu schnell zu viele Trauben gegessen und meinen Trübsinn doch nicht verloren. In diesen Sekunden musste ich mich übergeben. Ich lief Gott sei Dank gerade zwischen zwei Straßenbahnschienen entlang, die links und rechts von hohen Platanen eingesäumt waren. Außer mir ging hier niemand und eine Straßenbahn war auch nicht in Sicht. Noch während ich auf mein Erbrochenes herabschaute, sehnte ich mich nach Maria. Die Trennung von ihr hatte mein Leben weder klarer noch einfacher gemacht. Im Gegenteil, ich stolperte in selbstfabrizierten Dummheiten herum, derer ich mich auch noch schämte. Im Büro gab es zwischen der Buchhaltung und dem Technischen Büro einen schmalen, fensterlosen Korridor, der als Garderobe für die Angestellten genutzt wurde. Rechts zog sich von Wand zu Wand eine Stange entlang, an der Regencapes, Sommerjacken und vergessene Mäntel hingen. In diesem Korridor begegnete ich häufig Frau Meinecke. Sie war knapp über vierzig und eine gute Statikerin. Sie war leichtlebig und dachte nach zwei gescheiterten Ehen in sexuellen Dingen nicht mehr sehr zurückhaltend. Lange kam ich problemlos an Frau Meinecke vorbei, weil ich mir immer dachte: Diesen Kelch nicht auch noch. Aber seit ich mir als halbtoter Gebrauchtmann vorkam, der an einem Gebrauchtschreibtisch saß und von dort vielleicht nicht mehr wegkam, verlor ich eines Nachmittags die Fassung und drückte Frau Meinecke seitlich in die Jacken und Mäntel der Kollegen und küsste sie heftig und fasste ihr an die Brust und an den Popo. Das alles musste schnell gehen, weil in jedem Augenblick eine der beiden Türen des Korridors sich öffnen und ein Kollege erscheinen konnte.

Eigentlich hatte ich mir vorgestellt, dass in dieser Schnelligkeit die Botschaft enthalten wäre, dass es zwischen Frau Meinecke und mir zu nichts anderem reichen würde als zu dieser hastigen Garderobensexualität. Es war in meinem Bewusstsein offenbar eine Fremdheit eingebaut, die sich über plausible Erwartbarkeiten hinwegsetzte. Denn tatsächlich war Frau Meinecke über meinen Überfall erfreut und hoffte auf zivilere Fortsetzungen. Es war klar (und ich hätte das wissen können), dass Frau Meinecke annahm, wir würden die unterbliebene normale Annäherung gemeinsam nachholen. Blitzartig erkannte ich leider zu spät meine Dummheit. Unter dem Druck der Situation löste sich in meinem Inneren ein Schub mit frischer Stummheit. Ich wusste nicht mehr, was ich tun und wo ich hingehen sollte. Frau Meinecke sah mit hellem Blick zu mir herüber und wartete auf meine Initiative. Von solchen verwirrten Bürozutraulichkeiten gab es keinen geordneten Rückzug. Es würde sehr lange dauern, bis Frau Meinecke verstehen würde, dass meine Annäherung höchstens die Qualität eines schnell abgebrannten Tischfeuerwerks hatte. Ich hätte vor Frau Meinecke hintreten und sagen sollen: Verzeihen Sie bitte den Ausbruch meiner Unerlöstheit in Ihre Arme. Solche schönen Szenen konnte ich mir immer nur ausdenken. Ärgerlich war, dass mich die bloße Ausgedachtheit schon zufrieden machte. Ich sah zu Frau Meinecke hinüber und gab ihr nicht den kleinsten Hinweis, was meine Blicke zu bedeuten hatten. Ich kehrte um und ging zur Paketausgabe der Post zurück. Langsam wurde es 18.00 Uhr, das heißt, die Paketausgabe würde bald schließen. Die bevorstehende Schließung reichte aus, in mir einen neuen Druck zu erzeugen. Ich blieb auf der Straße stehen und sagte tatsächlich zu mir: Der baldige Feierabend der Paketausgabe spielt für den Fortgang deines Lebens keine Rolle. Dennoch blieb ich stehen und kämpfte gegen in mir hochsteigende … ich weiß nicht, wie ich den Unrat nennen soll, der sich in meinem Hals ausbreitete. Es befiel mich eine plötzliche Unsicherheit. Ich prüfte nach, ob alles noch da war:

Geldbeutel, Kreditkarte, Schlüssel, Brieftasche. Alles war an seinem Platz. Über einen Mann, der mich anrempelte, dachte ich nur: Jaja, du bist auch einer von den modernen Grobianen. Ein Bratwurstverkäufer packte seine Sachen ein und schloss seine Bratwurstbude. Etwa ein halbes Dutzend nicht verkaufte Bratwürste ließ er auf dem langsam erkaltenden Rost zurück. Von den Frauen, die mir entgegenkamen, betrachtete ich eine Weile nur die Lippen. Schon nach kurzer Zeit verstand ich nicht mehr, was eigentlich so toll daran sein sollte, mit den eigenen Lippen den Kontakt zu Frauenlippen zu finden. Mein Gott, Lippen! Eine der Frauen streckte mir die Zunge heraus. Ich fragte mich, ob ich verwirrt war, ich war es nicht.

Ich brauchte etwa drei Minuten, bis ich die Paketausgabe erreicht hatte. Der Raum war leer. Hinter dem Tresen war eine Tür geöffnet. Aus dem Raum hinter der Tür drang das Geräusch von unterdrücktem Lachen und leise Schlagermusik. Ich ging nach vorne zum Tresen und zückte meinen falschen Ausweis. Ein Postmann trat aus der geöffneten Tür, nahm meinen Ausweis und ging mit diesem in den hinteren Raum. Nach einer halben Minute kam er mit drei Paketen nach vorne. Er legte die Pakete auf den Tresen und ließ sich auf einem Formular den Empfang quittieren. Es öffnete sich die Eingangstür, ein Mann in Zivil trat ein. Ein zweiter Mann verließ den hinteren Raum und ging seitlich auf mich zu. Die Männer hielten mich fest und legten mir Handschellen an. Einer der Männer zeigte mir einen Polizeiausweis und sagte: Sie sind festgenommen. Der Postler nahm die mir schon ausgehändigten Pakete zurück und wollte sie in den hinteren Raum tragen. Einer der Polizisten trat an den Postler heran und sagte: Die Pakete nehmen wir mit. Der zweite Polizist fasste in meine Hosentasche und holte meine Brieftasche heraus. Er suchte nach meinem falschen Ausweis und fand ihn rasch. Zum Zeichen, dass ich gehen sollte, gab er mir einen kleinen Schubser mit der Schulter. Die beiden Polizisten nahmen mich in die Mitte. Ich sagte nichts. Mit meinen Begleitern ging ich zum leeren Polizeiauto. Der größere der beiden Männer setzte sich mit mir nach hinten, der kleinere nahm hinter dem Steuer Platz und fuhr los. Der Polizist neben mir gab eine Meldung durch sein Funkgerät, die ich nicht verstand. Karin würde sich, sobald sie hörte, dass ich in einem Gefängnis einsaß, rasch von mir lösen. Damit wäre ich endgültig und wirklich aus dem Nachfolgeschatten von Michael Autz herausgetreten. Selbstverständlich würde Karin auch das Auto wieder an sich nehmen. Die Stelle bei Erlenbach & Wächter würde ich ebenfalls verlieren. Ich wäre, sozusagen auf einen Schlag, den Makel meines Gebrauchtlebens los. Das einzige Risiko sah ich in Maria. Sie würde bereit sein, in mir einen Unschuldigen zu sehen, sie würde mich bei der ersten Gelegenheit im Gefängnis besuchen, mich trösten, beruhigen und auf mich warten. Schwieriger würde es sein, gegenüber Karin meine Festnahme zu begründen. Ich sah aus dem fahrenden Polizeiauto hinaus. Wie die Leute draußen erlebte ich mich als einen Gefangenen. Es schien mir sicher, dass meine Haftzeit nicht übermäßig lange ausfallen konnte. Ich war ein Kleinbetrüger und sonst nichts. Was man an mir nicht verstehen würde, waren nicht meine Delikte, sondern dass ein Mensch wie ich sie begangen hatte. Ich hatte einen bürgerlichen Beruf, ich hatte einen festen Wohnsitz, ich war nicht vorbestraft. Zum Glück hatte ich einiges Geld auf dem Konto, so dass ich mir meine Entlassung nicht als Katastrophe vorstellen musste.

Die beiden Polizisten redeten nicht. Nach etwa einer halben Stunde trafen wir vor dem Haupteingang des Landesgefängnisses ein. Eine hohe Stahltür öffnete sich, der Polizeiwagen fuhr in einen Innenhof. Erst als die Stahltür wieder geschlossen war, stiegen die beiden Polizisten aus dem Auto, verschwanden in einem Pförtnerhäuschen und telefonierten. Nach fünf Minuten verließen sie die Pförtnerloge, setzten sich in das Auto und fuhren mit mir zu einem roten Backsteinbau, an dessen Eingangstür mit weißen Schriftzeichen C 2 aufgemalt war. Die Tür zum Bau C 2 war verschlossen. Wir warteten im Auto, bis sich die Tür öffnete. Es erschien ein dürrer Mann von etwa fünfundvierzig Jahren. An seinem Gürtel hing ein Schlüsselbund mit einer Handvoll Schlüsseln dran. Die Polizisten verließen das Auto und geleiteten mich zu dem Mann mit dem Schlüsselbund. Er führte mich ins Innere des Baus C 2 und verabschiedete sich knapp von den Polizisten. Zum ersten Mal sah ich, wie der Mann von seinen vielen Schlüsseln einen einzigen herausfingerte und hinter mir den Bau C 2 abschloss. Der Schließer führte mich ins Büro des Kalfaktors, das am anderen Ende des Flurs lag. Einige wenige Zellentüren waren geöffnet, einzelne Gefangene durften auf den Gang heraustreten und dabei zuschauen, wie ein Neuer eingeliefert wurde. Der Kalfaktor saß in der letzten Zelle links, die nur notdürftig als Büro eingerichtet war.

Der Schließer verschwand, der Kalfaktor sagte, dass ich meine persönlichen Sachen auf den Tisch legen sollte. Ich kramte aus meinen Taschen einen Kugelschreiber, meine Brieftasche, ein bisschen Kleingeld, mein Schlüsselbund heraus und legte alles auf den Tisch.

Und meine Brille?

Die dürfen Sie behalten, sagte der Kalfaktor. Danach

führte er mich in die Kleiderkammer, die nicht weit entfernt war. Auch der Kalfaktor hatte ein großes Schlüsselbund mit vielen Schlüsseln. Er öffnete die Tür und sagte: Sie kriegen Anstaltskleidung, wenn Sie wollen. Der Kalfaktor sah mir offenbar an, dass ich vor der Anstaltskleidung zurückzuckte.

Wenn Sie jemanden haben, der Ihre Wäsche abholt und gewaschen wiederbringt, dürfen Sie auch Privatwäsche und so weiter tragen, sagte der Kalfaktor.

Ich habe jemanden, der mich versorgt, sagte ich.

Gut, sagte der Kalfaktor.

Er rief mit dem Handy den Schließer herbei, der mich in die für mich bestimmte Zelle brachte. Jetzt war ich allein, jetzt war ich Häftling, für niemanden erreichbar. Ich blieb etwa zehn Minuten auf meinem Platz stehen und betrachtete die Einzelheiten. Rechter Hand war ein kleines Waschbecken mit Spiegel und Konsole. Das Handtuch war angeblich frisch, es roch nach fremden Männerkörpern. Ich würde mich nicht abtrocknen, ich würde abwarten, bis das Wasser auf meinem Körper von selbst eingetrocknet war. Auch die Toilettenschüssel neben dem Waschbecken war angeblich frisch gereinigt, sie roch nach der Pisse von mehreren tausend Männern.

Am anderen Ende der Zelle stand meine Pritsche. Eine schwere graue Anstaltsdecke lag auf ihr. Sofort fürchtete ich mich vor ihrem Geruch. Neben der Pritsche, direkt an der Wand, ein kleiner Tisch mit Stuhl. Wenn ich auf den Stuhl steigen würde, würde ich aus dem Fenster sehen können. Aber das Fenster war mit armdicken, undurchsichtigen Glasquadern ausgefüllt, die etwas Licht in die Zelle fallen ließen. Ich versuchte zu überlegen, ob ich dankbar sein sollte für das blinde Fenster. Die Zelle war komplett mit grüner Farbe gestrichen. Ich erinnerte mich, dass schon die Toiletten des von mir besuchten Gymnasiums und der Umkleideraum der Turnhalle mit demselben Grün ausgemalt waren. Zwischen Waschbecken und Toilette sah ich zahlreiche Zeichnungen an der Wand. Sie hatten alle das gleiche Motiv. Liegende nackte Frauen mit weit geöffnetem Geschlecht und Männer mit großem Penis, die gerade in sie eindrangen. Aus den Mündern der Frauen entstiegen Sprechblasen, die ich nacheinander las. Komm schnell, mach mich fertig, fick mich tot. Ich war erschöpft und hatte Scheu, mich auf die Pritsche zu legen. Ich war im fremdesten Raum, den ich je betreten hatte. Ich überlegte, ob ich die Pritsche würde ertragen können, wenn ich onanierte. Ich lehnte mich gegen die Wand, holte mein Geschlecht aus der Hose und fing an. Onanieren ist wie einen Film anschauen, in dem man Regisseur, Hauptdarsteller und Kameramann gleichzeitig ist. Zuerst erschien Luise, eine etwa fünfunddreißigjährige Frau, die ich mit siebzehn geliebt hatte, als ich Lehrling war. Luises Anblick schwächte mich so sehr, dass in meinem Film nur noch zwei Minuten Zeit war für den Auftritt der Hauptdarstellerin Elisabeth. Sie war Hausgehilfin in einer Bäckerei, die ich, als ich etwa neunzehn war, fast täglich aufsuchte. An einem Sommerabend sah Elisabeth aus dem Fenster ihrer Wohnkammer über der Bäckerei heraus. Beim ersten Vorübergehen traute ich mich nicht, deswegen kehrte ich um und lief noch einmal an dem Fenster vorbei. Elisabeth gab mir mit den Augen ein Zeichen und schloss ihr Fenster. Die Haustür war offen, das Treppenhaus still. Es war ganz leicht, Elisabeths angelehnte Zimmertür zu finden und zu öffnen. Erst viel später ist mir aufgefallen, dass Elisabeths Verhalten bis in die Details hinein dem Verhalten einer

Prostituierten ähnelte, die Elisabeth nicht war. Auch mein Verhalten ähnelte dem Benehmen eines Freiers: Ich war einer kaum verhüllten Aufforderung an einem offenen Fenster gefolgt. Elisabeth war klein und üppig und roch leider nicht gut. Ihr Zimmer ähnelte einer Zelle. Links stand das ungemachte Bett, rechts ein niedriger Schrank. An der linken Wand war ein Waschbecken mit Spiegel und Konsole, an der rechten Wand hing eine hellblaue Kutte, die Elisabeth tagsüber in der Bäckerei trug. Sie verschloss die Zimmertür und zog sich aus. Ihr Geruch stieß mich ab, aber ihre Zärtlichkeit überraschte und rührte mich. Ich gewöhnte mich schnell an den Geruch und empfand ihn bald als intime Vertiefung von Elisabeths Nacktheit. Ich verstand, dass das Bett normalerweise ein Ort der Langeweile und des Alleinseins war, das Elisabeth an diesem Abend nicht hinnehmen wollte. Ihre Brust war von blondem Flaum übersät, den ich mit großem Entzücken immerfort küsste. Elisabeth lag mit geschlossenen Augen neben mir und hielt mit beiden Händen mein Geschlecht. Die linke Hand umfasste die untere, die rechte Hand die obere Hälfte. Ich erinnerte mich, dass ich schon fürchtete, dass die immerzu bewegliche Umklammerung meines Schwanzes zu einem vorzeitigen Samenabgang führen könnte. Jetzt, hier in der Zelle, an die Wand neben dem Waschbecken gelehnt, kehrte diese Furcht mit schmerzlicher Schärfe zurück. In meiner Hose war kein Taschentuch. Ich machte mit dem Körper eine Vierteldrehung, so dass sich der Same in das Waschbecken ergoss. Ich war erstaunt, wieviel es war. An den vielen pollenartigen Flecken erkannte ich, wie lange ich schon nicht mehr mit einer Frau zusammen war.

Ich verstaute das Geschlecht zurück in die Hose, wusch mir die Hände und säuberte das Waschbecken. In diesen

Augenblicken hörte ich, wie jemand einen Zellenschlüssel in das Schloss stieß und die Zellentür sich wenig später öffnete. Der Schließer schaute kurz in meine Zelle und ließ dann einem Mann in einem dunklen Anzug den Vortritt. Der Mann hatte ein Papier in der Hand, ging auf mich zu und stellte sich vor: Kellermann.

Ich bin der Haftrichter in Ihrer Sache, sagte er, Sie wissen, dass Sie wegen Betrugs hier sind?

Ich nickte.

Während der kurzen Szene blieb der Schließer in der offenen Zellentür stehen und beobachtete mich.

Sie haben einen festen Wohnsitz, sagte der Haftrichter, Fluchtgefahr besteht bei Ihnen nicht. Wegen der Geringfügigkeit Ihres Delikts werden Sie vermutlich nicht lange in Haft bleiben müssen. Haben Sie Verwandte, Eltern, Geschwister, Freunde?

Weil mir nichts anderes einfiel, sagte ich: Meine Eltern sind tot.

Haben Sie niemanden, den wir von Ihrer Haft benachrichtigen können? Eine geschiedene Frau, irgend jemand?

Ich überlegte kurz und nannte dann Marias Adresse.

Haben Sie etwas dagegen, dass wir diese Dame benachrichtigen?

Ich hatte etwas dagegen, sagte aber dann doch: Ich habe nichts dagegen.

Wünschen Sie einen Besuch des Seelsorgers?

Auch dagegen hatte ich etwas, sagte aber dann noch einmal: Nichts dagegen.

Der Haftrichter erhob sich und ging zur Tür. Er wandte sich um, sagte auf Wiedersehen und verschwand. Der Schließer warf die Tür zu und verschloss sie. Ich ärgerte mich jetzt doch, dass ich Karins Adresse nicht angegeben hatte. Aber ich spekulierte schon mit meiner baldigen Entlassung. Außerdem hoffte ich, die Haft vor Karin verheimlichen zu können. Ich rechnete damit, dass mich die Frau, die mir davongelaufen war, in Kürze besuchen würde. Schon empfand ich wieder Sehnsucht nach beiden Frauen. Offenbar war es einem Schicksalsschlag möglich, die vollzogene Trennung von Maria in meinem Bewusstsein wiederaufzuheben. Das verstand ich nicht und ich verstand es doch. Wenn ich nicht eben erst onaniert hätte, hätte ich es jetzt tun müssen. Dabei galt der onanistische Akt nicht meinem Verlangen, sondern der Scheu vor der Zelle. Der Samenfluss hatte den Haftraum vor meinen Augen sowohl vernichtet als auch erobert, so dass ich ihn jetzt real betreten konnte. Ich durchquerte der Länge nach die Zelle und legte mich auf die Pritsche. Das Kissen roch, die Wolldecke ebenfalls. Ich erinnerte mich an den Satz des Haftrichters, dass Fluchtgefahr bei mir nicht bestehe. Es ärgerte mich, dass mich der Haftrichter verkannt hatte, und es freute mich, dass ich einen meiner Hauptlebenstriebe hatte verhüllen können. Der Wunsch nach Flucht war vermutlich der beständigste Impuls meines Lebens. Es gab so gut wie nichts, wovor ich nicht hatte fliehen wollen: vor meinen Eltern, vor dem Kindergarten, vor der Schule, vor Thea, vor Wohnungen, vor der Kultur, vor dem Militär, vor der Festanstellung, vor Maria. Viele Fluchten waren gelungen, einige nicht, wieder andere standen immerzu auf der Kippe. Einerseits herrschte um mich herum vollkommene Reglosigkeit, andererseits drang der Lärm des Gefängnisses auch in meine Zelle. Immerzu knallten Zellentüren zu, oder, wie jetzt, ein Schließer stieß die Essensklappe auf, weil es schon wieder Mittags- oder Abendessenszeit geworden war. Immer mal wieder schrien einzelne Männer die Wörter

Ficken oder Fotze aus ihren Zellen heraus. Ich erwartete, dass das Wort Mama geschrien wurde, aber dieses Wort schrie niemand. Ein Gefangener rief nach der Melodie Kuckuck Kuckuck rufts aus dem Wald die Zeile Fickfack Fickfack rufts aus dem Knast. Jedesmal gab es Männer, die darüber lachten.

Schon am nächsten Tag besuchte mich Maria. Ein Schließer holte mich aus der Zelle und führte mich in den Besuchsraum. Viel reden konnten wir nicht. Ein Wachmann stand neben unserem Tisch und hörte jedes Wort. Maria weinte. Ich hatte das Gefühl, sie sitzt im Gefängnis, nicht ich. Sie war erschüttert, dass so etwas passieren konnte. Ich erzählte ihr die Vorgeschichte, die ich ihr bis dahin verschwiegen hatte.

Warum machst du so etwas? fragte sie.

Ich weiß es nicht wirklich, sagte ich.

Du bist ein Armleuchter, sagte sie.

So ging es eine Weile hin und her. Ihre sanften Beschimpfungen taten mir gut. Wieder erwähnten wir mit keinem Wort, dass wir eigentlich getrennt waren.

In drei Minuten ist Ihre Besuchszeit um, sagte der Schließer in unser Gespräch hinein.

Danach waren wir so deprimiert, dass wir nichts mehr sagten. Nach etwa zwei Minuten sagte sie: Ich komme wieder, sobald ich kann. Sie hielt sich ein Taschentuch vor das Gesicht und verließ den Besuchsraum.

Langsam begriff ich: Es war ein Privileg, dass ich eine Einzelzelle hatte. Den Grund dafür kannte ich nicht. Vielleicht gab es keinen Grund, und es war alles nur Zufall. In fast allen Zellen waren mehrere Männer untergebracht. Nach etwa einer Woche hatte ich den Eindruck, den Hauptstoß der Gefängnisdepression hinter mir zu haben. Ich traute mich kaum zu denken, dass mir das Leben im Gefängnis in gewisser Weise gefiel. Ich war hier befreit davon, die Leute um mich herum beeindrucken zu müssen. Für jemand wie mich, der mit innerer Geltungssucht geschlagen war, war die Zelle eine Erleichterung. Das Tagesgefühl des ewigen Wartenmüssens war im Gefängnis nicht viel stärker als draußen. In beiden Fällen war es ein Warten auf das Verschwinden der Fremdheit. Ganz wichtig war außerdem, dass der ewige Zirkus vor den Frauen wie weggepustet war. Ich weiß nicht, warum mir mein toter Vater so oft einfiel. Vielleicht hing es damit zusammen, dass ich so oft am Tag die Toilettenschüssel anschauen musste. Vater betrachtete, wenn er auf der Toilette gewesen war, lange sein Wasser, ehe er es wegspülte. Weil die Toilettentür bei uns zu Hause gewöhnlich offenstand, konnten wir Kinder immer wieder sehen, wie Vater seiner verschwindenden Notdurft nachschaute. Einmal in der Woche durften die Gefangenen eine Stunde lang fernsehen. Obwohl ich nicht fernsehen wollte, ging ich in den Aufenthaltsraum und schaute mir irgend etwas an. Gewöhnlich lief eine Schlagerparade. Schlagersänger, die ich schon in meiner Jugend kannte, waren nicht (wie ich im stillen erwartete) längst tot, sondern sie waren alt geworden und trällerten immer noch. Auch die seitlich wartenden Schließer verfolgten das Programm. Ich war immer der Meinung gewesen, dass ein Mensch, der Schlagersänger werden wollte, unbedingt jung sein und bleiben musste, weil ich glaubte, dass Jugend und Unfug ursächlich zusammenhingen. Aber jetzt sah und hörte ich, dass auch alt gewordene Schlagersänger viel Unfug heruntersangen. Offenbar durften sie die Melancholie darüber, dass sie älter geworden waren, nicht ausdrücken. In der Schlagerparade herrschte striktes Reifungsverbot.

Meine Gedanken gefielen mir, jedenfalls eine Weile. Nach ungefähr fünfzehn Minuten empfand ich plötzlich Scham über die alt gewordenen Sänger. Gleichzeitig gefiel mir meine Scham, was für mich etwas Neues war. Gewöhnlich rief Scham mein Missfallen hervor. Aber jetzt betrachtete ich sie mit Wohlgefallen und war froh, dass es sie gab. Ich kann sagen, die Scham ist das zarteste innere Gebilde, das ich in mir aufbewahrte. Mir fiel ein, dass ich genauso, wie ich jetzt alte Schlagersänger betrachtete, eines Tages beim Sterben ebenfalls Scham empfinden werde über die Leute, die um mein Bett herumsitzen und mich betrachten werden. Auch sie würden Scham empfinden über mich, weil sie nicht damit gerechnet hatten, dass sie mich so lange würden anschauen können. Ich erschrak, weil sich meine Gedanken so weit in die Zukunft vorgewagt hatten. Plötzlich hatte ich Kontakt mit meinem Tod. Er roch nach Gefängnis und ältlichem Sperma. Kurz danach bat ich einen Schließer, in meine Zelle zurückkehren zu dürfen. Er fragte nicht nach dem Grund, er führte mich wortlos zurück in meine Zelle.

9

GEGEN FÜNF UHR, als es draußen hell wurde, wachte ich auf. Um sechs öffnete ein Schließer die Tür, ein anderer schob das Frühstück in die Zelle. Es war ein Becher mit dünnem Kaffee und zwei Scheiben Schwarzbrot mit Aufstrich. Obwohl ich viel Zeit hatte, frühstückte ich mit dem Gefühl innerer Eile. Schon nach zehn Minuten saß ich da und schaute auf den leeren Teller und den leeren Becher. Es dauerte noch ungefähr zweieinhalb Stunden bis zum täglichen Rundgang im Innenhof. Dieser Tage hatte ich versucht, mit dem einen oder anderen Gefangenen während des Rundgangs zu reden, ohne Erfolg. Die meisten Gefangenen artikulierten so schlecht, dass ihre Art zu sprechen auf eine Sprachbehinderung hinauslief. Oft musste ich raten, was sie sagen wollten. Ich hatte mir abgewöhnt zu denken, dass ich mit den anderen Gefangenen etwas zu tun hätte. Nur ein Zufall hatte uns in diesem Gefängnis zusammengeführt, das war alles. Ich traute mich endlich zu denken, dass ich die anderen nicht verstand. Das hatte ich schon im normalen Leben oft empfunden, aber ich hatte mich nicht getraut, es auch zu denken. *Ein* Vorteil des Alleinlebens im Gefängnis war: man wurde nicht gefragt, wo man tagsüber gewesen war. Nach dem Abendbrot durfte ich mich hinlegen, mir ein Buch auf die Brust stellen und lesen. Niemand kam und machte mir irgendwelche Vorwürfe oder verlangte etwas von mir. Nach dem Abendbrot blieb das Licht bis etwa neun Uhr eingeschaltet. Dann wurde es plötzlich dunkel. Danach dauerte es etwa drei Stunden, bis ich einschlafen konnte. Bis dahin lag ich herum, setzte mich auf den Pritschenrand, stand auf, durchquerte die Zelle und legte mich wieder hin. Obwohl ich davon ausging, dass diese Unrast ein Teil meiner Strafe war, verstand ich die Unrast nicht. Vermutlich war auch das Nichtverstehen ein Teil der Strafe. Bei Vollmond drang ein wenig weißliches Licht in meine Zelle, so dass ich meine Hände und meine Knie wiedererkennen konnte. Ein bösartiger Bestandteil dieser Abende war das Gefühl, ich sei der einzige, der etwas nicht verstand, was die anderen längst verstanden hatten. Morgen früh, während des Rundgangs, würde ich wieder so tun, als hätte ich alles verstanden. Das heißt, ich spielte das Verstehen. Allerdings war mir diese Vortäuschung seit meiner Kindheit vertraut. In Wahrheit verstand ich auch das gespielte Verstehen nicht. Meistens war es so: Ich vergaß nach einiger Zeit, dass ich etwas nicht verstanden hatte. Freilich vermutete ich, dass auch die anderen nichts verstanden. Alle spielten das Verstehen! War das endlich die Wahrheit? Als Kind hatte ich oft Angst, dass das Nichtverstehen allmählich in eine Art Verrücktheit überging. Allerdings war das Nichtverstehen in der Kindheit auch wohltuend und genussreich. An meinem Unverstand meinte ich zu erkennen, dass ich ein wirklich erschaffenes Wesen war, das heißt, ich fühlte in mir deutlich den Gedanken einer wirren Schöpfung. Kurz danach kam oft der Gedanke: Der Schöpfer hat dich nicht zu Ende erschaffen. Nach einiger Zeit hat er die Lust an dir verloren und ließ dich halb erschaffen zurück. So lebte ich in meinen inneren Tiraden dahin. Neu war, dass mir zuweilen ein paar Tränen in die Augen schossen. Gründe dafür wusste ich nicht. Meine Eltern waren schon lange tot, ein anderer, mir nahestehender Mensch war nicht gestorben. Maria strotzte vor Kraft und Zuversicht. Im Augenblick nahm ich an, die Tränen seien ein Begleitzeichen für endgültige Vereinsamung. Oder sie waren die Visitenkarten des Todes! So pathetisch dachte ich morgens. Vielleicht weinte ich auch wegen Maria. Bei ihrem letzten Besuch ließ sie durchblicken, dass sie nicht mehr unbedingt heiraten wolle. Es genüge ihr, sagte sie, einen Mann zu kennen. Als Grund für ihre Zurückhaltung nannte sie mein Eigenbrötlertum. Als Beispiel nannte sie, dass ich mich schon seit längerer Zeit weigerte, neue Bettsachen zu kaufen. Obwohl du noch jung bist, hast du schon das Verhalten eines älteren Mannes. Diese Bemerkung traf mich im Innersten. Gleichzeitig bewunderte ich Maria für ihre treffsichere Beobachtung. Ich fand es allerdings geschmacklos, dass sie mir ausgerechnet im Gefängnis solche Vorhaltungen machte. Aber sie hörte nicht auf, im Gegenteil.

Du brauchst nicht nur neue Bettlaken und ein neues Plumeau und mindestens zwei neue Kissen, sagte sie.

Ich schwieg.

Du brauchst auch ein neues Bett, sagte sie. Aus deinen Bettsachen fliegen die Federn, das scheint dir nichts auszumachen.

Ich fürchtete schon, dass sie gleich über meine fortgeschrittene innere Erstarrung reden würde. Aber danach hörte sie auf und verabschiedete sich bald. Jetzt lag ich im Dunkeln auf meiner Pritsche und nahm mir vor, sofort nach der Entlassung ein neues Bett und neue Bettwäsche zu kaufen. Ich hoffte tatsächlich, mir mit diesen Anschaffungen Marias Gunst auf Dauer sichern zu können. Es ängstigte mich das Gefühl, durch Einzelheiten dieser Art zu tief in die Sonderbarkeit des Lebens vorzustoßen, die ich niemals hatte kennenlernen wollen. Niemals hätte ich geglaubt, dass ich eines Tages beschließen könnte, mir nach Vorwürfen einer Frau neue Bettsachen und sogar ein neues Bett zu kaufen.

Zwei Tage später hatte ich Besuch vom Staatsanwalt. Er war ein junger Mann, der sich, wenn ich mich nicht irrte, für mich interessierte, obwohl er mich nicht verstand. Beziehungsweise, es war vermutlich umgekehrt: Er interessierte sich für mich, weil er mich nicht verstand.

Sie sind doch Architekt von Beruf? fragte er.

Ich nickte.

Litten Sie Not? Hatten Sie keine Aufträge?

Ich verneinte.

Warum haben Sie sich als Hobbybetrüger betätigt?

Das Wort Hobbybetrüger kränkte mich. Es verriet, dass sich der Staatsanwalt in meine inneren Motive nicht einfühlen konnte. Und obwohl ich mir vorgenommen hatte, mit ihm nicht über verborgene Wirklichkeiten zu sprechen, machte ich jetzt doch einen Versuch.

Ich hatte mir von dem Betrug eine innere Belebung erhofft, sagte ich.

Ich erkannte an seinem Gesicht, dass der Staatsanwalt diesen Satz nicht verstand.

Das Hauptziel meiner Existenz ist eine Lebensersparnis, sagte ich dann auch noch.

Es war offenkundig, dass er sich unter dem Wort Lebensersparnis nichts vorstellen konnte. Ich versuchte eine Erklärung, sie misslang. Er unterbrach mich nach zwei Minuten und sagte: Hauptsache, Sie sind geständig, das beschleunigt die Sache. Danach verließ er die Zelle.

Den letzten Satz des Staatsanwaltes teilte ich Maria bei

ihrem nächsten Besuch mit. Maria war nicht so optimistisch wie ich. Ich versuchte, ihr die mögliche Bedeutung des Satzes zu erklären, ohne Erfolg. Maria saß mir reglos gegenüber und begann nach ein paar Minuten zu weinen. Zum ersten Mal durften wir dreißig Minuten miteinander sprechen und nicht bloß fünfzehn Minuten wie bisher. Auch darin sah ich ein hoffnungsvolles Zeichen. Obwohl es angenehm war, ohne Eile und Druck zu sprechen, brachten wir keinen sinnvollen Austausch zustande. Es lag vermutlich wieder an dem Beamten, der uns nicht aus den Augen ließ. Maria öffnete für mich ein wenig ihre Bluse, was mich rührte. Dann zog sie das Gummiband aus ihrem Haar und verteilte das Haar auf beide Seiten des Gesichts. Ich sagte tatsächlich: Du bist so schön wie eine Erscheinung. Beinahe hätte ich hinzugefügt: Natürlich wäre es besser, du würdest aussehen wie eine überlastete Krankenschwester, das wäre für mich erträglicher. Kaum war die Besuchszeit zu Ende und ich wieder in der Zelle, juckte mich erneut das Verlangen nach Onanie. Ich konnte es jetzt kaum noch fassen, dass ich früher einmal die Angewohnheit hatte, nach einem schönen (und befriedigenden) Abend mit Maria mich spätnachts von ihr zu trennen, um allein in einer Bar noch zwei Biere zu trinken und meine Lage zu bedenken und dann nach Hause zu gehen. Zu Maria sagte ich damals, dass es mir angenehm sei, wenn ich am folgenden Morgen in meinem eigenen Bett aufwachte, um sofort (ungewaschen, ohne Frühstück, ohne Konversation) mit der Arbeit zu beginnen. Das war nicht direkt gelogen, aber es war auch nicht ganz ehrlich. Der dunkle Hauptpunkt war meine Angst vor dem allmählichen Eintreten in eheähnliche Zustände. In der Bar geschah nichts Aufregendes und nichts Verbotenes. Ich traf dort ein paar

Männer und ein paar Frauen, manchmal frühere Kollegen, Thekensteher und stille Trinker, viele von ihnen ebenfalls Liebesangstflüchtlinge. Aber ich hatte an der Theke das beruhigende Gefühl, dass ich bereits beigeschlafen hatte, also nicht blöde nach irgendeiner Frau schauen musste, die ich für mich interessieren wollte. Oder mir zu überlegen, welche frühere Freundin ich von der Bar aus anrufen könnte, was ich damals leider zuweilen tat. Es war damals befreiend, wenn wenigstens der Punkt Beischlaf geklärt war. Ein auf diese Weise geordneter Mann tritt den anderen Frauen gegenüber gelassen auf, sie sehen sofort, dieser Mann wird wenigstens vorübergehend nicht von seinem Hauptanliegen gequält.

Ich verstaute die von Maria mitgebrachten Hemden, die frische Wäsche und ein Paar Hausschuhe. Die Hausschuhe wollte ich nicht, aber Maria ließ nicht locker. Es war unaussprechlich merkwürdig, in der Zelle mit Hausschuhen umherzugehen. Zwischen den Unterhemden lagen drei Briefe. Einer stammte von Erlenbach & Wächter, ich ahnte, was sie mir mitteilen wollten. Ich öffnete den Brief und sah sofort, dass meine Ahnung zutreffend war: Sie hatten erfahren, dass ich wegen Betrugs einsaß, und lösten das Arbeitsverhältnis mit sofortiger Wirkung. Von meiner Schlafpritsche erhob sich eine Motte. Im matten Licht schimmerten ihre kleinen Flügelchen wie fliegendes Altgold. Die Motte durchquerte die Zelle, ich verfolgte sie mit Blicken. Sie stürzte auf die Konsole über dem Waschbecken und landete in einer Staubschicht, von der sie nicht mehr hochkam. Der Staub drang rasch in ihre Flügel ein und erstickte kurz danach ihr Leben.

Bald erschien der Haftrichter erneut in meiner Zelle. Er hatte eine befreiende Nachricht für mich. Ihr Verfahren wird wegen Geringfügigkeit eingestellt, sagte er. Ich wollte es zuerst nicht glauben. Packen Sie Ihre Sachen, sagte er, in einer Stunde dürfen Sie gehen. Ein paar Sekunden lang war mir nicht klar, ob sich der Haftrichter einen Scherz erlaubte. Nach zwei Minuten war ich wieder allein. Ich suchte die Wäsche zusammen, die Maria mir zuletzt gebracht hatte, und sammelte meine Waschutensilien ein. Ich besaß nicht einmal eine Plastiktüte. Der Schließer hatte eine, und er schenkte sie mir. Nach etwa eineinhalb Stunden erschien er erneut und ließ mich gehen. Zehn Minuten später öffnete sich die hohe Stahltür, die mir von meiner Einlieferung vertraut war. Ich hob mir den Zipfel eines frischen Unterhemds unter die Nase und sog meinen Geruch ein. An der Pforte gaben mir zwei Beamte mein Schlüsselbund und das Kleingeld zurück, das ich bei der Einlieferung hatte abgeben müssen. Ich musste den Empfang quittieren, dann war ich draußen.

Mir war ein wenig feierlich zumute. Ich lief in Richtung Innenstadt. Ringsum ereignete sich nichts. Die Stadt war auf die übliche lebendige Weise tot, die mich oft irritierte. Ich bewunderte einen Säugling, der in einem Kinderwagen an mir vorübergefahren wurde. Das Kind schrie und hielt zugleich, mit ganz kurzen Saugintervallen, den Schnuller im Mund. Ein Mann lehnte an einem Eisengeländer und aß mit einer weißen Plastikgabel eine Art Nudelmahlzeit aus einer Pappschachtel heraus. Ich wollte zuerst in die Wohnung und von dort aus Maria anrufen. Vorher wollte ich in einem Supermarkt ein paar Lebensmittel kaufen. Ich war dankbar, dass das Gefängnis das Leben draußen nicht komplizierter gemacht hatte. An der Imbiss-Theke einer Metzgerei bestellte ich eine Bockwurst mit Brot. Die Bockwurst aß ich auf, das Brot nahm ich mit nach Hause, aus unbestimmter Furcht. Einmal blieb ich vor den Schaufenstern eines Modegeschäfts stehen, weil aus zwei Lautsprechern oberhalb der Schaufenster eine flüssig-cremige Musik auf die Straße heraustönte. Die Musik half mir, die Rückkehr ins Leben normal zu finden. Der Anblick jeder Frau, die an mir vorbeiging oder auf dem Fahrrad vorüberfuhr, rief in mir einen kleinen klagenden Schmerz hervor, den ich nicht verstand. Die in den Blusen auf- und abwippenden Brüste empfand ich als etwas rätselhaft Entschwundenes, das mir eine Erklärung schuldig schien. Im Supermarkt kaufte ich etwas Wurst und Käse, Obst und Milch, ein kleines Brot, Margarine und Haarshampoo. Ich ging davon aus, dass mich das Gefängnis ein wenig eigentümlich gemacht hatte. Ich wartete auf Anzeichen dieser neuen Eigentümlichkeit, die sich nicht zeigten. Man sollte in eine Klinik gehen und fragen dürfen: Würden Sie bitte nachschauen, ob ich im Kopf noch ganz klar bin? An der Kasse sah ich, dass ein Kunde einer Kassiererin ein Trinkgeld von zwei Euro hinschob. Das ist für Sie, sagte der Kunde. Die Frau steckte die beiden Münzen in ihre Kittelschürzentasche und lächelte dankbar. War das möglich? Verdienten Kassiererinnen inzwischen so wenig, dass Kunden zu ihrem Lebensunterhalt beitragen mussten? Die Frau an der Kasse war nicht im geringsten verwundert. Sie nickte mehrmals mit dem Kopf und sagte: Danke. Waren die Kassiererinnen in wenigen Tagen arm geworden? Ich drückte mich noch eine Weile in der Nähe der Kasse herum und wollte sehen, ob noch andere Kunden ... aber dann wurde mir die Wirklichkeit langweilig, und ich wandte mich ab.

Als ich wenig später meine Wohnung betrat, dachte ich: Hier wohne ich nicht mehr. Die Wohnung hatte sich in meiner Abwesenheit in eine Art Museum meines vergangenen Lebens verwandelt. Ich zog die Schubladen meiner Kommode heraus und dachte: Warum hat niemand das alte Zeug weggeworfen? Ich öffnete die Fenster zur Straße. Unten, auf der Straße, keuchte ein Hund vorüber.

Ich bins, sagte ich wenig später am Telefon.

Wo bist du? fragte Maria.

Zu Hause, antwortete ich, ich bin frei, seit ungefähr zwei Stunden.

Frei? Wirklich frei?

Mein Verfahren wurde eingestellt, sagte ich, beziehungsweise ich wurde entlassen, weil ich geständig bin und keine Fluchtgefahr besteht.

Mein Gott, sagte Maria.

Ich freu mich riesig, sagte ich.

Und ich erst!

Wann kommst du?

Nach dem Büro, sagte Maria, vorher kann ich nicht.

Im Radio ertönte die 4. Orchestersuite von Bach. Der Klang heller Trompeten drang zuerst in mein Zimmer und dann in mein Innerstes. Ich setzte mich auf einen Stuhl und blickte wie ein verwundertes Tier auf den Boden. Momentweise glaubte ich, Bach komponierte dann am besten, wenn er so tat, als könne er nicht komponieren. Je unfähiger es klang, desto besser und großartiger war Bach. In allen Orchesterkonzerten Bachs treten jeweils mehrere Soloinstrumente in unterschiedlichen Kombinationen aus dem Tutti hervor. Ich wartete eine Weile auf weitere Eingebungen über Bach, aber es kam nichts mehr. Auf meinem Tisch lag ein ehemals weißes, jetzt fast weißgraues Tischtuch. Ich musste es entfernen, ehe Maria eintraf. Ich hatte ein bisschen Nasenbluten, nicht viel, ich hielt mir mit einem Taschentuch das linke Nasenloch zu. Im Badezimmer hatte ich einen Rest Stillwatte, den ich mir ins linke Nasenloch drückte. Als ich ins Zimmer zurückkehrte, lief im Radio ein Violinkonzert von Brahms. Leider betätigte ich mich schon wieder als Komponistenkritiker. Wenn sich die großen Komponisten langweilten, schrieben sie viel zu lange Violinkonzerte, dachte ich. Für Augenblicke erkannte ich meinen innersten Feind, meine lächerliche Verstiegenheit. Weil ich mich immer noch nicht zu Hause fühlte, zog ich das Unterhemd von gestern nochmal an. Ich hatte gern Mitleid mit Menschen, die gerade merkwürdig wurden. Insofern hatte ich in diesen Augenblicken auch Mitleid mit mir, was ich ausnahmsweise ertrug. Vorsichtig zog ich die Stillwatte aus meinem Nasenloch. Mein Nasenbluten hatte aufgehört. Eine Nebensache, mein sitzendes Herumtrödeln auf einem Stuhl, wurde langsam zur Hauptsache. Ich dachte an Maria, die in etwa dreieinhalb Stunden bei mir sein würde. Auch sie steckte in einem falschen Leben und hatte keine Kraft, für sich ein richtiges Leben zu finden. Schon öfter hatte ich beobachtet, wie sorgsam sie auf ihrem Balkon ihre Blumen und Pflanzen hegte. Als Maria wieder einmal klagte, dass sie nicht wisse, was sie machen solle, schlug ich vor, sie sollte Gärtnerin werden. Maria war sofort empört. Gärtnerin! Sie wollte unbedingt eine intellektuelle Tätigkeit, egal wo, und sei es in der Werbung. Ich hatte vor der Begegnung mit Maria ein wenig Angst, aber dann war das Wiedersehen einfach und direkt. Schon im Treppenhaus fielen wir übereinander her. Bei der Umarmung fasste ich ihr so tief in die Unterhose, dass ich meinen Mittelfinger auf ihre Spalte legen konnte. Schon im Flur zogen wir uns aus, ich öffnete eine Flasche Wein, aus Begeisterung trank Maria sofort zwei Gläser leer. Maria beglückwünschte mich überschwenglich zu meiner Freilassung. Ich küsste ihr den Schweiß und die Schminke herunter, ich steckte mir ihre Brüste in den Mund, als wäre ich am Verhungern, was ich vielleicht auch war. Als ich in ihr drin war, sagte sie: Es ist, als wäre dein Ding ein Organ von mir. Wir kicherten und bewegten uns nur wenig, wir wollten so lange wie möglich ineinander verharren. Durch die lang anhaltende Reibung unserer Körper rutschte Maria in eine allmähliche Selbstversenkung hinein. Ich dagegen beobachtete heimlich die Augenblicke, weil ich meine Heftigkeit heranschleichen sehen wollte. Mach weiter, wenn du kannst, sagte Maria leise und hielt sich an mir fest. Leider wurde es zunehmend unmöglich, unsere Erwartungen aufeinander abzustimmen. Maria drückte mich, ohne es zu wollen, immer tiefer in mein eigenes Verlangen hinein, bis ich plötzlich heftig wurde und dazu überging, sie bloß noch rhythmisch zu stoßen. Maria wurde erneut schweißnass, sie sagte: Oh, ich habe das Gefühl, gleich brechen mir die Beine ab. Kurz darauf kamen einige rufende Laute von ihr, dann verstummte sie und drosselte ihr Tempo und rollte sich seitlich von mir herunter. Hinterher wollte ich ihr eine Frage stellen, die mir während des Beischlafs eingefallen war, aber ich konnte mich nicht konzentrieren und schlief ein.

Ich hatte nicht das geringste Bedürfnis, in einem Möbelhaus umherzugehen, schon gar nicht in der sogenannten Bettenabteilung. Es sah hier so penetrant nach Hochzeit, Ehe und Fortpflanzung aus, dass in meinem Gemüt fast automatisch Fluchtimpulse aufstiegen. Aber ich durfte diesmal nicht fliehen. Maria hatte mir, mit einer leicht drohenden Färbung in der Stimme, den Auftrag gegeben, nicht nur neues Bettzeug anzuschaffen (zwei neue Bettlaken, ein

Daunenfederbett und zwei Daunenfederkissen einschließlich Kissenbezüge), sondern gleich ein neues Bett. Sie hatte das Wort Ehebett vermieden, sondern nur gesagt, wir brauchen ein Bett, in dem wir beide bequem schlafen können. Sie hatte sich bereit erklärt, sich an den Anschaffungen finanziell zu beteiligen. Ich hatte keinerlei Widerstand gewagt. Gegen ein neues Bett (mit Zubehör) konnte ich nichts einwenden, weil mein Bettproblem tatsächlich nicht mehr länger aufgeschoben werden konnte. Mein Bett stammte aus meiner frühen Junggesellenzeit, das heißt, aus meinen Studentenjahren. Es war (ist) ein schlichter Eisenrahmen mit einer Drahtmatte und einer Schaumgummimatratze. Ich hatte mich schon öfter gewundert, dass dieses Gestell nicht schon lange zusammengebrochen war. Aber es hielt stand in all den Jahren, auch dann, als Maria in mein Leben trat und oft bei mir übernachtete. Karin hatte sich geweigert, in dem Studentenbett zu übernachten; sie ging, wenn sie bei mir war, oft mitten in der Nacht nach Hause, weil sie sich vor meinem Bett ein wenig gruselte. Maria gruselte sich nicht, weil ihr die Nähe zu mir immer wichtiger war als das Bett, auf dem diese stattfand. Ich glaube, sie schätzte mein schmales Bett, weil es uns zwang, dicht an dicht neben- oder beieinanderzuliegen. Wir umarmten uns oft auch noch aus sicherheitsspezifischen Gründen, weil wir argwöhnten, dass der eine oder andere nachts im Schlaf vielleicht aus dem Bett fiel. Das alles war nicht ganz ernst gemeint, sondern war ein spaßiger Übergang in den Nachtschlaf. Ich schlich mich nach zwei oder drei Stunden Übernähe auf eine Schaumstoffmatte, die ich für diesen Fall angeschafft hatte. Morgens jammerte Maria dann oft ein bisschen herum, weil sie mich wieder auf die Notmatratze vertrieben hatte. Damit sollte jetzt ein für allemal

Schluss sein. Ich fühlte, dass ich in der Bettenabteilung rasch handeln musste. Ich war nicht dazu geeignet, zwischen einem Dutzend Zwei-Personen-Betten verschiedener Preisklassen auszuwählen und irgendwelche Vor- und Nachteile abzuwägen. Weil ich nicht wusste, für welches Bett ich mich entscheiden sollte, würde ich mich in Kürze zu einem piratenartigen Kaufakt überreden müssen. Ich würde mich lediglich von der ausreichenden Breite des Bettes leiten lassen.

Ich hatte mich gerade so halb und halb für ein stabil wirkendes Kirschbaumbett von 2,00 Meter Breite entschieden, da sah ich etwa zwanzig Meter vor mir die Rückenansicht von Thea. Ich erkannte sie sofort an ihrem ausrasierten Nacken, an ihrem dunklen Bubikopf und an zwei dicht nebeneinanderliegenden Warzen auf der linken Halsseite. Ich versteckte mich hinter einem Stapel Matratzen und verfolgte Thea mit leider immer noch erregten Blicken. Ich wollte nicht, dass sie mich entdeckte, ich wollte nicht mit ihr reden. Schon gar nicht wollte ich ihr zeigen, dass ich mich immer noch zu ihr hingezogen fühlte, sogar in einem Möbelhaus. Allerdings war ich neugierig, was sie auf der Bettenetage suchte. Sie trödelte langsam einen Gang entlang und schaute alles an, Lattenroste, Stahlroste, Matratzen, Bettengestelle, sogar Rollbetten, Kissen und Bettwäsche. Ihre Aufmerksamkeit für *alles* war nicht neu für mich, ich erinnerte mich meiner früheren Ungeduld, als ich noch mit ihr zusammen solche Kaufhauswanderungen unternehmen musste.

Da drehte sie sich zur Seite, und ich sah, dass sie hochschwanger war. Es war, als würde eine Art Fraktur in mich hineinfahren und mich lähmen. Ausgerechnet Thea, die nie schwanger werden wollte, hatte sich einen Bauch machen lassen. Mein Zittern zeigte mir, was ich nicht wissen wollte: dass meine Verbundenheit mit Thea niemals abgerissen war. Ich öffnete ein wenig den Mund und schob die Zungenspitze in den linken offenen Mundwinkel. In mir keimte ein unfeines Unglück, von dem ich nicht wusste, ob es klein blieb oder größer werden würde. Dass Thea mit einem anderen Mann zusammenlebte, hatte ich inzwischen hingenommen, aber dass sie von diesem Mann auch schwanger war, überstieg meine Toleranz. Ich bemerkte den klagenden Ton aller Sätze, die ich in schneller Folge an mich hinredete. Obwohl ich keine Kinder wollte, wäre ich natürlich einverstanden gewesen, wenn Thea ein Kind gewollt hätte. Aber von dir wollte sie keines! Dafür musste ein anderer Mann kommen. Ich war voller Gram und ungeklärtem Heimweh. Der schwangere Bauch war nicht das, was er für mich hätte sein müssen: ein endgültiges Trennungszeichen. Im Gegenteil, der dicke Bauch holte Thea wieder nah an mich heran: als Versagen, als Versäumnis, als Schuld. Meine Finger krallten sich in eine Schaumstoffmatratze. Zum Glück war hier Hochbetrieb. Kein Verkäufer wollte etwas von mir, niemand nahm Anstoß an mir. Zwei Minuten später wusste ich, warum Thea hier war: Sie schaute nach einem Kinderbett. Langsam arbeitete ich auf, was geschehen war. Für den neuen Mann hatte sie offenkundig ihre Lebenslaufrichtung verändert. Neue Zähne hatte sie schon, jetzt kriegte sie auch noch ein Kind. Ich fühlte mich fassungslos und schwach. Eine grotesk starke Eifersucht quälte meinen Kopf. Dabei war längst klar, dass ich in diesem Fall der Verlierer war. Wenn nur dieses unverständliche Heimweh nicht gewesen wäre!

War es möglich, dass man als Mann Heimweh nach einer Frau hatte? Davon hatte ich nie gehört und nie gelesen, aber offenbar gab es das, ich fühlte es in meinem wunden Kopf. Es erstaunte mich, dass mir keine Tränen kamen. In früheren Jahren hätte mir ein ähnlich starkes Erlebnis die Augen eingefeuchtet. Ich hatte mir Theas Leben mit einem anderen Mann so vorgestellt, dass sie ruhig mit ihm beischlafen und in Urlaub fahren konnte und so weiter, aber für so zentrale Fragen wie Kinderzeugung und anderes wäre weiterhin ich zuständig gewesen. Eine blöde Allerweltseinsamkeit überflutete mich, es war eklig. Du hättest sie ohne Rücksicht jahrein, jahraus ficken sollen! Irgendwann wäre sie einfach schwanger geworden, Schluss! Statt dessen diese jahrelangen gutmütigen Gespräche, ob man ein Kind haben sollte oder nicht und wann es am besten käme, vielleicht mit Ende dreißig?! Aber dann klappt es bei vielen Frauen nicht mehr, darauf kann man sich nicht verlassen. Jetzt war einfach ein Fremder aufgetreten und hatte den Rest erledigt, während ich mich in aller Gutmütigkeit zu einem peinlichen Unglücksbeobachter entwickelt hatte, der immerzu darauf achtete, dass nichts Unüberlegtes geschah. Hinter den Kaltschaummatratzen wartete ich, bis meine Erregung abgeklungen und der Schweiß eingetrocknet war. Thea hatte ich inzwischen aus dem Blick verloren. Weil ich Angst hatte, ihr doch noch zu begegnen, vermied ich die Benutzung der Rolltreppen. Nicht weit von mir öffneten sich die Türen eines Aufzugs. Mit ihm fuhr ich hinab ins Erdgeschoss. Ich wartete ab, bis der Weg zum Ausgang übersichtlich und frei war. Selbst draußen auf der Straße redete ich noch an mich hin. Sie hat über Jahre deine Wünsche beachtet, aber eigentlich hatte sie sich etwas anderes vorgestellt und wartete auf einen anderen Mann. Wie ein schadhaftes altes Teil rumpelte ich die Straße entlang. Niemand sah meine Verletztheit.

10

WENN ICH MARIA abends besuchte, nahm ich manchmal meinen Schlafanzug mit. Obwohl ich nicht wirklich glaubte, bei Maria einziehen zu können, tat ich zuweilen so, als würde ich auf diesen Punkt hinleben. Maria machte nicht einmal eine Bemerkung, wenn ich weit nach Mitternacht meinen Schlafanzug anzog und zu ihr ins Bett kroch. Ich hatte immer noch meine eigene Wohnung, aber ich hielt mich nicht mehr gerne dort auf. Ich hatte ein wenig das Gefühl (den Verdacht, den Argwohn), dass mich auch das Alleinsein in meiner Wohnung auf Abwege geführt hatte. Ich redete mit Maria inzwischen sogar über meine Lebensersparnis, die ich eigentlich Lebenseinschüchterung hätte nennen müssen, wenn das Wort nicht so verräterisch gewesen wäre. Nie zuvor hatte ich mit einem Menschen über dieses Thema gesprochen, mit einer Frau schon gar nicht. Vermutlich durchschaute Maria die Zusammenhänge und schwieg, weil sie mich nicht verletzen wollte. Die Wohnung verlassen (egal, ob meine oder Marias Wohnung) war/ ist immer eine gute Folge von Augenblicken. Kurz danach befand ich mich sowieso auf den immer gleichen Straßen. Dann hatte ich das Gefühl, als hätte ich die Wohnung gar nicht verlassen. Oder es war so, als seien die Straßen ein Teil meiner/unserer Wohnungen geworden. Während ich ging, wurde meine Innenlage sanfter. Momentweise nahm ich sogar teil an allgemeinen Veränderungen. Normalerweise war meine Innenlage so herrschsüchtig, dass sie mir Außenwahrnehmungen nicht erlaubte. Wenn ich mich gut fühlte, beklagte ich zum Beispiel das Verschwinden der kleinen italienischen Eissalons, der Schuhmachereien und der Eier-Butter-Milch-Geschäfte. Wenn ich als Schuljunge für ein paar Stunden das Opfer einer Kinderverlassenheit wurde, ging ich zu dem Eissalon Venezia und kaufte mir zwei Bällchen Vanilleeis, die mich aus der Verlassenheit herausholten. Ich beschwerte mich (still, im Innern, wortlos) über das Überhandnehmen der chemischen Reinigungen, der Spielsalons und der Bankfilialen. Die Straße, die ich mit zunehmender Gutwilligkeit entlangging, war lang und lebhaft und laut. Ich wunderte mich über die Präsenz verwirrter und verwahrloster Personen, die in diesem Viertel neu waren. Ich erinnerte mich an die Gesichter von Obdachlosen, die in früheren Jahren hier umherschlurften. Viele von ihnen waren irgendwann verrückt geworden oder verschwanden in Heimen, einige wurden von Jugendlichen nachts erschlagen, aber die vielen anderen, wo waren sie geblieben? Und wo kamen die neuen Obdachlosen her, die ungleich zerlumpter aussahen als ihre Vorgänger?

Ich weiß nicht, warum ich mich jetzt an meine Mutter erinnerte, die einmal, als ich mittags aus der Schule nach Hause kam, verletzt oder ohnmächtig auf dem Küchenboden lag. Sie stöhnte, aber sie sagte nichts. Ich hatte den Verdacht, dass sie von meinem Vater geschlagen worden war. Diesen Verdacht hatte ich öfter, ich wusste nicht, woher er kam. Plötzlich fragte ich mich, ob es eines Tages so weit kommen würde, dass ich nicht mehr genau wüsste, ob ich wirklich im Gefängnis gewesen war oder mir die Geschichte nur einbildete. Ich stellte mir diese Unklarheit verlockend vor. So weit musste ich es bringen! Ich wollte sofort damit anfangen, mich undeutlich zu erinnern. Diese Unsicherheit würde mir helfen, mit dem Gefängnis fertig zu werden. Leider bedrückte mich die Gefängniszeit erheblich. Ich vermied inzwischen sogar das Zusammentreffen mit anderen Menschen, weil ich nicht über das Gefängnis reden wollte. Es war mir klar, dass dies keine Lösung des Problems war. An manchen Tagen konnte ich mir dabei zusehen, wie ich bei lebendigem Leib vereinsamte. Der einzige Mensch, der mir half, war Maria. Obwohl sie nichts Besonderes tat, fühlte ich mich bei ihr beschützt. Ich hielt es für möglich, dass ihre Weigerung (ihr Schweigen), mich bei ihr einziehen zu lassen, eine Rache für meinen Kredit an Thea war. Ich warf mir vor, dass ich die Kreditgeschichte nicht zielstrebig verfolgte. Ich hätte Thea längst deutlich fragen müssen, wann sie endlich mit der Rückzahlung beginnen würde. Tatsächlich erweckte ich den Eindruck von jemand, dem es gleichgültig war, ob er sein Geld zurückerhielte. Es war offenkundig, dass meine Nachsicht immer noch eine Liebesgeste war. Auch Maria durchschaute die Motive hinter meinem Zögern, aber sie schwieg, allerdings war ihr Gemüt (wenn ich mich nicht täuschte) eine Spur bitterer geworden. Um diese Gedanken energisch von mir abzuschütteln, stellte ich mir augenblicklich Marias wundervolle Brüste vor. Ihre Brüste waren wie kleine Tiere, von denen ich mir vorstellte, dass sie bei mir Schutz suchten. Oft betrachtete ich Marias Brustwarzen aus größter Nähe. Die Schönheit ihrer Brustwarzen hing damit zusammen, dass die kleinen hellbraunen Hautsegmente um den äußeren Rand der Brustwarzen dicht konzentriert waren und zur Mitte hin seltener wurden, so dass die Spitze der Brust sich rosig erhob und wie ein schwächlich schönes Blümchen aussah. Ich lobte mein eigenes erotisches Erinnern und dachte, dass Menschen (wie ich) deswegen zufrieden (glücklich) sind, weil sie lächerliche Details im Kopf ausbauen und dadurch die Nebensachen zu inneren Hauptsachen machen konnten. Es war eine Haupttätigkeit des Glücks, die ihm gemäßen Nebensachen zu finden. Schon diesen Gedanken hielt ich für glückstransportierend und deswegen hinreißend. Sogar durch diese Straße keuchten Jogger und wichen unwillig auf die Fahrbahn aus, wenn die Fußgängerknäuel auf dem Bürgersteig zu dicht wurden. Ich versuchte, über meine Zukunft nachzudenken, vorerst ohne Erfolg. Ich kam an einem Herrengeschäft namens EXQUISIT vorbei. Prompt fiel mir Maria ein, eine andere Maria diesmal, die mich immer wieder ermahnte, meine ganze Garderobe müsse generalüberholt werden. Ich blickte auf zwei Schaufensterpuppen mit tadellosen Anzügen auf den Kunststoffleibern. Ein Herrengeschäft, das sich EXQUISIT nannte, konnte ich höchstens eine halbe Minute lang ernst nehmen. Durch das Eingeständnis meiner Sperrigkeit, die ich lieben musste, weil sie mich ausdrückte und nicht bloß kleidete, blickte ich wieder kurz auf das Innere meiner Einsamkeit. Es ärgerte mich, dass ich meine Innenwelt die Einsamkeit nannte. Ich wusste längst, dass jeder Mensch einsam war und dass es deswegen sinnlos war, von der allgemeinen Einsamkeit zu reden. Genauso töricht wäre es gewesen, von Zeit zu Zeit darauf hinzuweisen, dass alle Menschen immer mal wieder pinkeln mussten und sich abends schlafen legten. Wenn mich nicht alles täuschte, würde ich trotz meines Fehltritts erneut in den Verwurstungsbetrieb des Lebens eingegliedert. Maria nannte meine Unlust, mich neu einzukleiden, inzwischen sogar eine Tragödie. Ich musste lachen über diese Übertreibung und überlegte momentweise, Maria ein für allemal auseinanderzusetzen, dass ich nicht mehr als zwei Hosen und zwei Paar Schuhe besitzen wollte. Aber ich konnte ihr nicht deutlich machen, dass ich mich schon seit langer Zeit von der Welt abwandte und dass ich diese Abwendung (unter anderem) durch karge Kleidung darstellen und ausdrücken konnte. Es war mir auf diese Weise zum Beispiel möglich, die voraussichtlich dümmlichen Ereignisse eines beginnenden Tages vorsorglich herabzusetzen, indem ich die ältere meiner beiden Hosen anzog. Überhaupt sind ältere Kleider stets das Eingeständnis einer unabwendbaren Überwältigung, die ich selbst nicht ganz verstand. Ich erlitt und vollzog sie nur. Im tiefsten Grund war mir unverständlich, dass man mit der Welt nicht völlig einverstanden sein konnte. Ich hatte deswegen seit langer Zeit den Verdacht, dass ich von Gott oder sonstwem als Problemkomplikateur stigmatisiert worden war. Hier, in dieser Straße, die ich entlangging, sah ich die große Mehrheit der anderen, deren Problembefall gering war. Ich kam an der niedlichen rundlichen Bratwurstverkäuferin vorbei, die als Galionsfigur einer Metzgerei neben dem Eingang postiert war und mit ihrer absoluten Problemferne viele Menschen anzog, auch mich. Ich hatte mir sogar schon aus stummer Zuneigung zu ihr dann und wann eine Bratwurst gekauft und sie vor ihren Augen aufgegessen, was mich für sie zu einem sympathischen Menschen machte. Einmal sagte sie zu mir: Ihnen geht es heute auch nicht besser als gestern, stimmts? Sie lachte und fügte hinzu (und drehte dabei eine Bratwurst um): Im Unnerbewusstsein geht alles weiter! Ich war amüsiert, erstaunt und verwundert. Sogar eine Bratwurstverkäuferin sprach heutzutage schon vom Unterbewusstsein, das sie Unnerbewusstsein nannte und dadurch menschlich und vertraut machte. Vor einem

Tchibo-Laden sah ich einen ehemaligen Studienkollegen (seinen Namen habe ich vergessen), der mir philosophische Details erklärte, die ich nicht wissen wollte. Genauso vertraut wie die Bratwurstverkäuferin war mir das Gesicht eines älteren Bettlers. Er trat diskret von der Seite an die Menschen heran und sagte mit leiser Stimme und auf hochdeutsch: Haben Sie ein wenig Kleingeld für mich? Bald bemerkte ich, dass mir der Bettler sympathisch war. Ich gab ihm fast jedesmal, wenn ich ihn sah, etwas Geld. Wo sollte es hinführen, dass es sympathische Bettler gab? Wenn ich ihm (aus Laune, aus Zufall) nichts gab, erlitt ich Gewissenskonflikte. Warum gibst du ihm manchmal Geld, manchmal aber nicht? Das waren unerträgliche Zustände! Ich selbst trug Schuld daran, wenn der Bettler die Welt nicht restlos verstand. Ich konnte die Überwindung sehen, die ihn das Betteln kostete. Ich spielte den bedürfnislosen Zeitempfinder und gab ihm wieder etwas. Maria war vermutlich sehr klug. Sie entdeckte in meiner gespielten Nächstenliebe das Einverständnis mit meiner zukünftigen Verkommenheit.

Sie sagte: Du solltest dich nicht heimlich daran gewöhnen, bald selbst ein Bettler zu sein.

Ich sagte: Ich gewöhne mich an gar nichts; ich sitze in meiner Wohnung und starre auf das Telefon, aber niemand ruft an und gibt mir einen Auftrag.

Maria schwieg eine Weile, dann sagte sie: Wenn du in deinem Beruf keine Arbeit findest, dann musst du in anderen Berufen arbeiten; das machen heute sehr viele Menschen.

Diese Barriere galt für mich immer als unüberwindbar, aber Maria drängte auf eine Festanstellung, egal als was und egal wo. An diesem Punkt driftete unser Verstehen auseinander. Ich benützte ein weiteres Mal den üblichen Notausgang, den mir mein Kopf niemals verwehrte. Durch das Nichtverstehen hindurch sehnte ich mich nach Marias Brüsten. Die Flucht gelang ausgezeichnet. Ich litt darunter, dass das Leben so sonderbar gemischt war und schon deswegen im Kern unverständlich. Aber ich sagte mir: Ich liebe ihren Busen und ihr kindisches Quieken beim Vögeln. Eine knappe Woche später steigerte sich Marias Angst zu einer schon fast bedrohlichen Zudringlichkeit. An einem Samstagmorgen kam sie mit der Wochenendausgabe der Zeitung zu mir und sagte: Wir wollen für dich eine Stelle suchen. Ich war verdutzt und wusste eine Weile nicht, wie ich mich verhalten sollte. Aber dann schlug Maria die Seiten mit den Stellenangeboten auf und sagte schon bald: Eine Computerfabrik sucht einen Social Investor! Hochschulbildung erwünscht! Soll ich dir helfen bei der Bewerbung?

Ich kriegs schon allein hin, sagte ich.

In Wahrheit wusste ich nicht einmal, was ein Social Investor war. Die Situation ähnelte entfernt einer Szene, die ich mit siebzehn mit meiner Mutter erlebt hatte, als ich auf dem Gymnasium gescheitert war. Auch meine Mutter blätterte die Zeitung durch und sagte: Eine Supermarktkette sucht gleich mehrere Einzelhandelskaufleute! Damals hatte ich an dieser Stelle des Gesprächs einen Einspruch gewagt. Weißt du, was Einzelhandelskaufleute machen? Das sind ganz junge Leute, die nachschauen müssen, ob sich noch genug Gurkengläser und Milchtüten in den Regalen befinden! Das ist alles! Aber leider wusste ich nicht, womit ein Social Investor seinen Tag hinbrachte. Als ich zu lange schwieg, sagte Maria: Dein Leben darf keine Katastrophe werden!

Mein Leben wird keine Katastrophe, sagte ich.

Es war schon einmal nahe dran, sagte Maria.

Ich hatte nicht gedacht, dass sie einen derart hinterhältigen und bösartigen Satz sagen konnte. Ich schwieg eine Weile, dann stand ich auf und ging auf die Toilette. Ich erinnerte mich, dass meine Mutter ebenfalls auf die Toilette ging, wenn mein Vater ihr zu sehr zusetzte. Maria und ich sind in der Toilettenphase angekommen, dachte ich unfroh. Die Toilette war die kürzeste mögliche Flucht und die kürzeste mögliche Rückkehr. Tatsächlich klopfte es nach einer Weile an der Tür. Kommst du bitte, sagte Maria. Ich verließ die Toilette, setzte mich zurück an den Tisch und glotzte auf die Zeitung. Das Glotzen auf die Zeitung war die schnellste mögliche Beschäftigung nach der Rückkehr von der kürzesten möglichen Flucht. Maria entschuldigte sich.

Du erpresst mich mit deiner Lebensangst, sagte ich.

Mit meiner Lebensangst? Wenn schon, dann mit deiner Lebensangst, antwortete sie.

Ich will weder mit deiner noch mit meiner Lebensangst erpresst werden, sagte ich.

Weißt du, was für ein Gefühl ich habe? fragte sie.

Ich ahne es.

Ich sag es trotzdem: Ich habe Angst, dass du nichts tust und dich hängenlässt.

Also doch, sagte ich, du erpresst mich mit *deiner* Lebensangst.

Daraufhin schwieg sie eine Weile. Wir saßen uns gegenüber und sahen auf den Boden. Auch diese nach unten gerichteten Blicke waren mir aus meinem Elternhaus vertraut. Ich war erstaunt, wie unoriginell das Leben wieder war. Nach einiger Zeit blies ich mir mit ein paar Luftstößen das Haar aus der Stirn. Es fiel wieder zurück in die Stirn. Jetzt griff ich mit der Hand ins Haar und schob es nach hinten.

So kommen wir nicht weiter, sagte Maria.

Ich bin nicht siebzehn und du bist nicht meine Mutter, sagte ich.

Und was soll jetzt geschehen?

Ich kann nicht zaubern, sagte ich blöde.

Jetzt war Maria beleidigt. Sie sagte eine Weile nichts, dann erhob sie sich. Ich forderte sie nicht auf zu bleiben. Wieder hatte ich das quälende Gefühl, wir seien Laiendarsteller und spielten ein unspielbares Stück. Maria zog ihr Sommerjäckchen an, nahm ihre Handtasche und ging. Eine unerlaubte Erleichterung übermannte mich, obwohl meine Unruhe nicht verschwand. Ich sah aus dem Fenster und wartete auf nichts. Dann fragte ich mich, ob ich jetzt wieder allein war und ob ich mir eine andere Frau suchen musste. Dabei war ich mir sicher gewesen, dass sich das Herumsuchen nach einer Frau für mich für immer erledigt hätte. Tatsächlich fragte ich mich, ob ich Karin oder gar Thea anrufen sollte. Aber was hätte ich ihnen sagen sollen? Sie hätten schnell bemerkt, dass ich sie als eine Art Aushilfe missbrauchte, und diese Blöße wollte ich mir nicht geben. Vom Fenster aus sah ich ein junges Paar, das eng umschlungen vorüberging und in dauernder Mundnähe miteinander sprach. Es bedrückte mich, dass ich neidisch wurde. Der Neid des Fensterstehers trieb mich aus der Wohnung. Was ich jetzt brauchen konnte, waren schnelle Bilder und fliehende Ereignisse. Auf der Straße bedauerte ich, dass ich Michael Autz schon lange nicht mehr gesehen hatte. Wahrscheinlich ist er in eine andere Stadt gezogen, ohne Bescheid zu sagen, dachte ich. Ich hatte mich, wenn ich mich nicht täuschte, auch schon auf diese Weise verabschiedet. Erst dann fiel mir ein, dass Michael Autz tot war. Du warst selbst auf der Beerdigung gewesen und hast Karin ein bisschen zu heftig angeschaut. Ich erschrak oder ich erschrak nicht. Das Leben lief wieder einmal selbständig zur Trauer hin. Die Wirklichkeit machte mich zu ihrem Hinterbliebenen. Der Gedanke gefiel mir, obwohl er mich zu heftig durchschüttelte. Ich musste irgend etwas tun, um einer ansteigenden Trauer zu entkommen. Ich überlegte, ob ich ins Museum gehen und mir eine Fotoausstellung anschauen sollte. Es gab Fotos aus den fünfziger Jahren zu sehen, als meine Eltern jung waren. Aber dann gehst du im Auftrag deiner Unruhe gehetzt durch die Räume und schaust die Bilder nur flüchtig an. Wenn ich besonderes Pech hätte, würde eine Schulklasse in der Ausstellung herumlärmen und mir schlechte Laune machen. Ich hatte vergessen, dass ich bereits schlechte Laune hatte und nicht mehr wusste warum. Ich wollte mit der U-Bahn ins Stadtzentrum fahren, aber schon in der U-Bahn-Haltestelle roch ich das Kaugummi, das die Leute Tag für Tag hier kauten, und kehrte um. Über meine Schnellabfertigung der Leute empfand ich Schuld. Ich war redewillig, aber es kam niemand und verhörte mich. Ich war von der Welt todähnlich weit entfernt. Kurz erinnerte ich mich an den gestrigen Abend. Ich kam nach Hause, aß ein Brötchen und legte mich kauend ins Bett. Krümel fielen aufs Kissen, aber ich empfand Wohlbehagen, weil ich das Leben wenigstens im Liegen ertrug. Hast du jemand, der dir hilft, einen Bruder oder so was? Wieder machte ich meinen Eltern Vorwürfe, weil sie schon nach einem Kind Schluss machten. Wenn Maria nicht zurückkehrte, würde ich niemanden mehr haben. Schon rechnete ich mit meiner Verstoßung. Gleich würde jemand um die Ecke kommen und zu mir sagen: Du gehörst nicht mehr zu uns. Das ist die Lieblingsszene der in mir arbeitenden Verrücktheit. Der über mir wohnende Mann hatte gestern abend Besuch von seiner Freundin. Ich hörte die Stimmen und das Kichern der beiden. In etwa zwei Stunden würden sie vögeln und dann einschlafen. Ich wollte aufbleiben, weil ich das Stöhnen der Frau hören wollte, aber dann schlief ich vor ihnen ein und hörte von allem nichts. Meine allergrößte Angst war, dass ich irgendwann während eines sexuellen Vorgangs das Interesse an diesem verlieren und vorzeitig einschlafen würde. Eines Tages würden sich Umstände ergeben, die mich zwingen würden, vor meinem eigenen Leben zu fliehen. Ich brauchte einen selbstfabrizierten Schreckensmythos, weil ich ein Leben ohne dauerhafte Einschüchterung für unecht und unwürdig hielt. Der Gedanke erfreute mich, obwohl ich ihn vor Maria verheimlichen würde. Die Verheimlichung machte mich zart. In diesen Sekunden war ich so überempfindlich, dass ich fürchtete, bei der nächsten Berührung mit der sogenannten Realität in meine Einzelteile auseinanderzufallen. Ich überlegte, dass es das beste sei, mich in meiner Wohnung zu verschanzen und diese nur noch in Härtefällen (arbeiten und einkaufen) zu verlassen. War ich jetzt endlich in ein Schicksal eingetreten? Dabei hatte ich nur Schicksalsstimmungen, aber kein wirkliches Schicksal. Auf jeden Fall musste ich mich auf eine kommende Einsamkeit gefasst machen, obwohl ich keine Ahnung hatte, wie man das macht: eine unvermeidliche Einsamkeit annehmen. Du wirst dich von allem trennen müssen, besonders von den Frauen, obwohl ich gerade jetzt dringend eine Frau brauchte. Ich musste mit dem Frauenkennenlernen heute noch anfangen, am besten gleich, nein sofort. Am leichtesten wäre, ich könnte den Mut aufbringen, Maria anzurufen und nur zwei Worte zu sagen: Komm, schnell. Aber weil *ich* sie verletzt hatte, musste ich ihr für eine Weile das Recht auf ausbleibende Rückkehr einräumen. Am besten wäre, ich würde um die Mittagszeit auf den Wochenmarkt gehen, mir drei Reibekuchen kaufen und mich an einen der dort aufgestellten Holztische setzen. Es würde nicht lange dauern, dann würden aus den Verwaltungen und Büros zahlreiche Schreibtischdamen ausschwirren, sich ebenfalls drei Reibekuchen kaufen und sich zu mir an den Tisch setzen. Mit einer von ihnen würde ich eine Mittagsplauderei anfangen und sie am nächsten Markttag an derselben Stelle wiedersehen. So einfach ist es, eine Frau kennenzulernen, sagte ich zu mir. Die zweite Möglichkeit war: Ins fast leere Schwimmbad fahren (der Sommer war bald zu Ende) und am Beckenrand mit einer gerade ausruhenden Schwimmerin eine Unterhaltung über den kläglichen Sommer anfangen.

Eine dritte Möglichkeit fiel mir nicht ein. Die zweite mochte ich nicht, also blieb nur die erste. Zwei Tage später, an einem Freitag, ging ich gegen halb eins auf den Wochenmarkt, kaufte drei Reibekuchen und nahm Platz an einem der Holztische. Die Bürofrauen erschienen in großer Zahl, kauften sich ebenfalls Reibekuchen und suchten sich Sitzplätze. Sie redeten über ihre Männer, ihre Kinder, ihren letzten Urlaub, über ihre Computerprogramme und am Schluss über Pullis, Röcke und Hosen, die sie gekauft hatten oder demnächst kaufen würden. Mich beachteten sie nicht. Etwa eine halbe Stunde später erschien die nächste Schicht Bürodamen, sie verhielt sich ähnlich wie die vorige. Die Idee, auf dem Wochenmarkt eine Frau kennenzulernen, war ein Fehlschlag. Diese Frauen hatten Arbeit und einen Mann und ein Auto und eine Wohnung und alles, was daraus folgte. Aus Ratlosigkeit betrachtete ich ganz junge Frauen, die etwas weiter entfernt saßen und Bier tranken. Sie trugen nur T-Shirts und knappe Hosen, so dass ich ihre Tätowierungen auf ihren Armen, Schultern und Hüften sehen konnte. Die Tätowierungen sahen abscheulich aus, aber mir war klar, dass mein Abscheu altmodisch war. Es beschlich mich ein seit Kindertagen vertrautes Gefühl: dass ich vielleicht aus der Zeit herausgefallen war. Ich versuchte, gegen das Gefühl einzuschreiten, indem ich mich umschaute nach jemand, der (die) mir ähnelte, egal ob Mann oder Frau. Nein, nicht egal. Ich brauchte eine Frau, die als übriggebliebenes Einzelwesen irgendwo herumsaß wie ich und Abstand gewinnen wollte von irgend etwas. Aber die Menschen ringsum waren mit dem genauen Gegenteil beschäftigt: sie wollten den Abstand zwischen sich und der Welt verkleinern, sie wollten sich identifizieren mit allem, was die Zeit und die Mode um sie herum abgelagert hatte. Ein wenig mürrisch trug ich meinen Plastikteller und das Plastikgeschirr zur nächsten Abfalltonne und ging nach Hause.

Schon im Treppenhaus hörte ich mein Telefon. Einen Auftrag würde ich nicht bekommen, daran glaubte ich immer weniger. Es blieb nur Maria. Sie verriet sich mir schon durch ihr langes Klingeln. Niemand außer ihr hielt es so lange für möglich, dass ich zu Hause war und nur aus Trotz oder Widerwillen den Hörer nicht abnahm – oder erst sehr spät. Noch vor ihrem ersten Wort hörte ich einen weggedrückten Schluchzer.

Ist was passiert? fragte ich.

Ja, nein, ja, sagte sie.

Etwas Schlimmes?

Ja, nein, ja, nein.

Was ist? fragte ich.

Ach, sagte sie.

Kannst du es nicht sagen? Soll ich raten?

Wahrscheinlich ist es nicht schlimm, sagte sie, außer für mich; kann ich für eine Viertelstunde zu dir kommen?

Jetzt gleich?

Am liebsten, ich habe noch zwanzig Minuten Mittagszeit.

Dann komm, sagte ich.

Sie hatte offenbar vollständig vergessen, dass sie mir vor nicht allzu langer Zeit davongelaufen war. Vermutlich saß sie schon auf ihrem Fahrrad. Fünf Minuten später lag sie auf meinem Sofa und kämpfte mit den Tränen.

Ist jemand gestorben oder was?

Maria zog ihren Schlüpfer aus, hielt ihn mir vor das Gesicht und sagte: Da, schau rein, mir fallen die Schamhaare aus.

Was?

Ich blickte in ihren Slip und sah tatsächlich ein paar frei umherschwirrende Schamhaare.

Ist das alles?

Mir reichts, sagte sie.

Das ist völlig normal, sagte ich, mir fallen auch Schamhaare aus, schon lange.

Ist das wahr?

Ja klar.

Das hast du mir nie gesagt.

Es ist unwichtig, sagte ich.

Wachsen die nach? fragte sie.

Weiß ich nicht, vermutlich, sagte ich; du hast so viele Schamhaare, du kannst ein paar abgeben.

Sie lachte und schluchzte zugleich. Sie zog ihren Schlüpfer wieder an und legte sich auf die Couch. Ich schob meine Hand unter den Gummizug des Slips und kraulte langsam ihren großen schwarzen Busch. Schon nach zehn Minuten war sie dem Einschlafen nahe. Ich weckte sie.

Du musst ins Büro, sagte ich.

Sie stand schnell auf und schlüpfte in ihre Sachen. Sie küsste mich so heftig, dass ich die Dankbarkeit hinter dem Kuss spürte, dann fuhr sie zur Arbeit.